LETTURE GRADUATE ELI GIOVANI ADULTI A2

La collana Letture Graduate ELI è una proposta completa di libri per lettori di diverse età e comprende accattivanti storie contemporanee accanto a classici senza tempo. La collana è divisa in tre, **LettureGraduate ELI Bambini, Letture Graduate ELI Giovani, Letture Graduate ELI Giovani Adulti**. I libri sono ricchi di attività, sono attentamente editati e illustrati in modo da aiutare a cogliere l'essenza dei personaggi e delle storie. I libri hanno una sezione finale di approfondimenti sul periodo storico e sulla civiltà, oltre a informazioni sull'autore.

 La certificazione FSC™ garantisce che la carta usata per questo libro proviene da foreste certificate, per promuovere l'uso responsabile delle foreste a livello mondiale.

 Per questa collana sono stati piantati 5000 alberi.

Italo Svevo

La coscienza di Zeno

Adattamento e attività di Chiara Michelon
Illustrazioni di Alberto Macone

LETTURE GRADUATE **ELI** GIOVANI ADULTI

Italo Svevo
La coscienza di Zeno
Adattamento e attività di Chiara Michelon
Illustrazioni di Alberto Macone

Letture Graduate ELI
Curatori della collana
Paola Accattoli, Grazia Ancillani, Daniele Garbuglia (Art Director)

Progetto grafico
Airone Comunicazione - Sergio Elisei

Impaginazione
Airone Comunicazione

Direttore di produzione
Francesco Capitano

Foto
Shutterstock, Archivio ELI.

© 2019 ELI s.r.l.
P.O. Box 6
62019 Recanati MC
Italy
T +39 071750701
F +39 071977851
info@elionline.com
www.elionline.com

Il testo è composto in Monotype Dante 11,5 / 15

Stampato in Italia presso Tecnostampa – Pigini Group Printing Division –
Loreto – Trevi – ERA 238.01

ISBN 978-88-536-2649-3

Prima edizione: marzo 2019

www.eligradedreaders.com

Materiale sviluppato in collaborazione con:

www.scuoladantealighieri.org/ita/camerino.htm

Recanati - (Italia)
www.campusinfinito.it

Indice

6	Personaggi principali	
8	Attività	
10	Preambolo	
11	Capitolo 1	**L'ultima sigaretta**
18	Attività	
20	Capitolo 2	**La morte di mio padre**
28	Attività	
30	Capitolo 3	**Il corteggiamento**
38	Attività	
40	Capitolo 4	**La storia del mio matrimonio**
48	Attività	
50	Capitolo 5	**Mia moglie**
58	Attività	
60	Capitolo 6	**L'amante**
68	Attività	
70	Capitolo 7	**Storia di una casa commerciale**
78	Attività	
80	Capitolo 8	**Un matrimonio disastroso**
88	Attività	
90	Capitolo 9	**Psicanalisi**
100	Attività	
102	Dossier	**Italo Svevo**
106	Dossier	**Il contesto storico e culturale**
108	Dossier	**I temi del romanzo**
110	Test finale	
111	Sillabo	

Le icone indicano le parti registrate. **Inizio** ▶ **Fine** ■

ATTIVITÀ

L'ambiente

1 La storia di questo libro è ambientata a Trieste. Quanto conosci di questa città, dei suoi luoghi e personaggi? Scoprilo! Scrivi le parole sotto alle foto.

> Castello di Miramare • Bora • Piazza Unità d'Italia
> Porto • Umberto Saba • Presnitz • Strada napoleonica

1 _____   2 _____

3 _____   4 _____   5 _____

6 _____   7 _____

Scriviamo

2 Sei mai stato a Trieste o in Friuli Venezia-Giulia? Cosa conosci di questa città e di questa regione?

_____
_____
_____
_____

Grammatica

3 **Coniuga i verbi nelle frasi al presente indicativo e completa lo schema.**

1 Voi _____ in treno insieme a tanti studenti. (viaggiare)
2 Quando i maestri _____ in classe, dobbiamo salutarli! (entrare)
3 Oggi è sabato: voi _____ andare dai nonni? (volere)
4 Mamma, perché _____ sempre di qua e di là tutto il giorno? (correre)
5 Silvia non _____ quasi mai perché non è attenta! (rispondere)
6 Oggi io e mia sorella _____ a vedere un film al cinema. (andare)
7 Mentre i miei amici chiacchierano, io _____ a mia moglie. (telefonare)
8 Io e la mia famiglia _____ in una casa di campagna. (vivere)
9 Tu e Lucia _____ sempre perché siete molto stanche. (dormire)

Preambolo

▶ 2 Sono il dottor S, psicanalista* del signor Zeno Cosini. Ho convinto il malato a scrivere la storia della sua vita per curarlo. Lui, di colpo, ha messo fine alla cura e io mi sono arrabbiato tantissimo.

Pubblico la sua storia per vendetta. Posso dividere con lui il denaro della vendita del libro, ma lui deve riprendere la cura con me. ■

---

psicanalista dottore che aiuta il malato a conoscersi meglio e a studiare la sua mente

Capitolo 1
L'ultima sigaretta

▶ 3   Il dottore mi ha consigliato di analizzare* il mio amore per il fumo. Comincio questa analisi proprio con l'aiuto delle mie amate sigarette. Una di loro sta bruciando tra le mie dita, ora…

Ricordo ancora le prime sigarette che ho fumato, con mio fratello e il mio amico Giuseppe.

In estate, mio padre metteva il suo panciotto* sulle sedie di casa. Nelle tasche del panciotto c'erano sempre delle monete: io le rubavo per comprare le sigarette. Le fumavo tutte velocemente, di nascosto, per dimenticare la mia cattiva azione. Fumavo anche, sempre di nascosto, i sigari che mio padre lasciava sui mobili di casa. Un giorno, però, mio padre si* è spaventato: non trovava più il sigaro messo – pochi minuti prima – sull'armadio del salone. Mia madre lo guardava con curiosità.

– Cara, sono diventato matto!

– Strano… nessuno è entrato nel salone dopo pranzo, sono sicura!

Io ho fatto finta di dormire sul divano e mia madre mi ha sorriso di nascosto.

In quel periodo non sapevo se amavo o se odiavo il sapore delle sigarette. Poi, a causa di un forte mal di gola, il dottore mi ha proibito di fumare: solo in quel momento – avevo venti anni – ho capito il potere del fumo su di me! "Fumare mi fa male, non fumerò mai

---

analizzare studiare con molta attenzione   **panciotto** gilet senza maniche da mettere sotto la giacca
si è spaventato ha preso molta paura

ITALO SVEVO

più!" ho pensato, preoccupato. "Prima, però, voglio fumare l'ultima sigaretta". Così ho acceso una sigaretta e la preoccupazione è andata via. Poi ho fumato un'altra sigaretta e un'altra... e il mal di gola è diventato ancora più forte! Durante la malattia ho fumato, di nascosto, continuamente. Non c'è stata l'ultima sigaretta ma ci sono stati solo tanti: "Non fumerò mai più!".

Ogni giorno scrivevo la data della mia "ultima sigaretta" sui libri, sulle pagine dei quaderni e anche sui muri. La scrivevo con la penna o con i colori e quando leggevo questi numeri ero felice. Da studente, ho dovuto pagare la pulizia dei muri della stanza dove dormivo, perché erano tutti sporchi di date! Le mie giornate, in quel periodo, erano piene di "ultime sigarette". Ho trovato una data, scritta con molta cura, anche su un dizionario: "Oggi, 2 febbraio 1886, passo dagli studi di Legge a quelli di Chimica. Ultima sigaretta!". Ogni ultima sigaretta ha, dentro di me, una grande importanza. Oggi mi chiedo: "Ho dato la colpa dei miei errori e della mia incapacità* alle sigarette? Smettendo di fumare, potevo diventare un uomo perfetto?". Forse il vizio del fumo mi ha dato una buona scusa per non diventare un grande uomo.

L'ultima sigaretta ha un gusto più intenso delle altre. Nell'ultima sigaretta sento il gusto della vittoria su me stesso e la speranza di essere forte e sano. Insomma, c'è molta filosofia in questo semplice intento*!

Per liberarmi dal vizio del fumo sono andato anche da un dottore, che curava i problemi di nervi con l'elettricità.

Dopo più di settanta appuntamenti con l'elettricità – del tutto inutili – pregavo ancora il dottore di vietarmi di fumare. Era questo il mio sogno: qualcuno doveva dirmi che dovevo assolutamente smettere di fumare! Il dottore invece pensava solo a curare gli altri miei disturbi, per esempio il fatto che non dormivo o che avevo mal di pancia.

---

incapacità non essere bravi né utili né adatti a fare qualcosa   **intento** obiettivo, volontà di fare qualcosa di preciso

terzo giorno del sesto
ese del 191e
e 24 US

primo giorno del
primo mese del 1901

2 febbraio 1886 US

Gli dicevo che ero malato perché avevo una grande passione per le donne e mi innamoravo di continuo. Secondo lui questo era un segno di salute! Alla fine dei nostri incontri il dottore faceva un sospiro e con un'aria disperata diceva: – Nessuno è mai contento di ciò che è.

Per risolvere i miei problemi ho chiesto aiuto a un amico. Era un ricco signore, molto grasso e con una grande cultura. Lui, che cercava sempre di smettere di mangiare, forse poteva capire il mio intento di smettere di fumare. Il mio amico mi ha spiegato una cosa assai strana: ha detto che la vera malattia non era la sigaretta, ma il desiderio di smettere di fumare. Secondo lui dovevo dimenticarmi del mio vizio e non dargli importanza. Più ci pensavo e più mi ammalavo, quindi dovevo liberarmi dell'intento. Mi sembrava molto semplice. Per un po' di tempo non ho pensato alle sigarette e al fumo. Dopo qualche ora la mia bocca era pulita e fresca come quella di un neonato*. Proprio allora mi è venuto un desiderio fortissimo di fumare. Ho fumato. E subito mi sono pentito perché anche stavolta non avevo mantenuto la promessa.

Un giorno, quando mio figlio aveva tre anni, mia moglie ha avuto una buona idea. Aveva pensato di rinchiudermi* per qualche tempo in una casa* di salute. Lei era assai divertita dal fatto che mi dovevo rinchiudere e io ero contento perché finalmente anche lei aveva capito che ero malato. Finalmente mia moglie prendeva sul serio la mia malattia!

Le ho detto che ero d'accordo con lei. Abbiamo scelto una casa di salute a Trieste, che era stata aperta dal dottor Muli. Abbiamo preferito un luogo nella nostra città invece della Svizzera, dove di solito vanno tutti a curarsi.

Io e mia moglie abbiamo messo un po' di vestiti in una valigia e la sera stessa siamo andati dal dottor Muli. Il dottore era un giovane bello

---

neonato bambino appena nato
rinchiudermi chiudermi in un posto da cui non potevo uscire

casa di salute struttura dove vanno le persone per curarsi

e sorridente. Era molto elegante e aveva occhi neri, piccoli e vivaci. Ci ha aperto la porta della casa di salute e mi ha fatto alcune domande.

– Non capisco perché lei, signor Cosini, invece di smettere di fumare all'improvviso, non ha mai pensato di diminuire il numero delle sigarette che fuma. Fumare si può, l'importante è non fumare troppo!

In verità non avevo mai pensato di fumare di meno.

– Quando comincerà la cura, dovrà arrivare fino alla fine. Non vorrà mica usare la forza contro la povera Giovanna?

La signora Giovanna mi doveva sorvegliare* mentre ero rinchiuso nella casa di salute. Era bassa e aveva forse quaranta forse sessant'anni. Doveva fermarmi se mi veniva voglia di uscire. La mia stanza aveva una porta, chiusa. Il dottore mi ha spiegato che nessuno, nemmeno Giovanna, aveva le chiavi di quella porta. Ero davvero rinchiuso!

– Io farò il mio dovere, – ha esclamato Giovanna. – Ma se quest'uomo mi farà del male per scappare, di certo non metterò in pericolo la mia vita!

– Non ho mai pensato di ucciderla, cara signora.

Giovanna era diventata tutta rossa ed era uscita dalla stanza un po' spaventata. Le parole di quella donna mi avevano dato fastidio: ma dove ero finito? Cosa voleva questa donna da me?

– Ora lasciatemi in pace con i miei libri!

– Devi essere forte, – mi ha detto mia moglie prima di lasciarmi solo. Non proprio solo: con me avevo le mie due ultime sigarette.

Ho spiegato al dottore che ne avevo portate con me solo due e che a mezzanotte precisa avrei smesso per sempre di fumare.

Quando mia moglie e il dottore sono usciti dalla stanza ho iniziato ad agitarmi. Ero geloso di quel giovane dottore! Lui le aveva guardato

---

sorvegliare controllare da vicino qualcuno

i piedi con desiderio. Mia moglie gli aveva sorriso. Tutti questi cattivi pensieri mi hanno portato a fumare subito la penultima sigaretta.

E appena spenta la penultima ho acceso anche l'ultima. Erano le ore ventitré: un'ora che non andava proprio bene per un'ultima sigaretta.

Ho aperto un libro ma non riuscivo a leggere nemmeno una parola. Ho chiamato Giovanna, che è arrivata molto sospettosa*. Le ho detto con gentilezza di sedersi davanti a me e di parlarmi di lei. Ha cominciato a parlare della sua vita e dei suoi problemi economici. Mi ha raccontato che aveva lasciato le figlie all'Istituto dei Poveri. Mentre chiacchierava le ho chiesto una sigaretta – la volevo pagare – ma lei si è spaventata. Allora le ho chiesto se poteva portarmi qualcosa di alcolico. Giovanna mi ha messo in mano una bottiglia di cognac. Mi dovevo ubriacare*, era la mia unica possibilità!

Io e Giovanna abbiamo iniziato a bere molto e lei era sempre meno sospettosa. Più bicchieri di cognac beveva e più diventava gentile e rilassata. In quel momento mi è venuta una grande idea: dovevo far ubriacare la mia sorvegliante!

La donna aveva cominciato a raccontare alcuni segreti della sua vita. Per esempio raccontava di quella volta che aveva tradito suo marito. Immediatamente mi è tornata la gelosia. Ho pensato a mia moglie e al dottor Muli. Immaginavo i due che stavano insieme, che si divertivano e ridevano di me. La rabbia mi faceva girare la testa. Ho mandato Giovanna a controllare se il dottore era nella sua stanza della casa di salute. Il dottor Muli non c'era! Non riuscivo a fermare la mia gelosia. Ho bevuto l'ultimo bicchiere di cognac e ho raccontato a Giovanna che ero così ubriaco che non mi interessava più nulla delle sigarette. Volevo restare da solo. La poverina mi ha creduto e mi ha lasciato solo. Anche lei aveva bisogno di riposare perché si sentiva mal di testa.

---

sospettosa che non si fida, che ha paura   **ubriacare** bere tanto alcool e non capire più nulla

– Buonanotte, Giovanna. Domani, invece del cognac, sarà meglio bere un po' di buon vino!

Giovanna era uscita e aveva lasciato la porta aperta. Ho sentito un rumore: dalle scale di sopra era caduto un pacchetto nella mia stanza. Dentro c'erano undici sigarette ungheresi. Ero riuscito a farmi voler bene da Giovanna!

La prima sigaretta che ho acceso era buonissima, poi mi sono fumato tutte le altre ed erano cattivissime. Ma non dovevo pensare a quelle cattive sigarette: io dovevo scappare da quella casa di salute! Mi sono tolto le scarpe e ho camminato a passi leggeri sul pavimento. Sono passato davanti alla camera di Giovanna e ho sentito il respiro regolare di chi dorme. Potevo stare tranquillo. Sono andato avanti fino al secondo piano, poi mi sono messo le scarpe e sono sceso per le scale. Una signorina elegante mi ha fermato. Voleva sapere chi ero e dove stavo andando. Mi sono inventato che cercavo il dottor Muli e sono uscito di lì.

La notte era chiara e calda. Mi sono subito tolto il cappello per sentire la libertà anche sulla testa e ho guardato le stelle. Che bella notte, che bel cielo! "Domani smetterò di fumare," ho promesso a me stesso. Nel frattempo ho comprato un pacchetto di sigarette buone, perché non potevo chiudere la mia storia di fumatore con quelle cattive sigarette ungheresi.

Ho iniziato a camminare e sono arrivato davanti al cancello* di casa mia. Ho suonato il campanello più volte. Ero pieno di gelosia e di rabbia perché ero certo di trovare il dottor Muli insieme a mia moglie. Prima ho sentito la voce della cameriera, poi la dolce risata di mia moglie.

Mi sono sdraiato sul letto e mi sono addormentato velocemente. Ero davvero felice di essere scappato dalla casa di salute. Avevo tutto il tempo che volevo per curarmi lentamente. Non c'era nessuna fretta.

cancello struttura, spesso di metallo, che separa una casa dall'esterno

ATTIVITÀ

Comprensione

1 Leggi le frasi e sottolinea l'opzione corretta.

1. Il dottore ordina a Zeno di fare un'analisi del suo amore *per le donne/per il fumo*.
2. Zeno comprava le prime sigarette *con i soldi del padre/con i suoi soldi*.
3. Quando era malato il protagonista fumava *poco/tanto* come sempre.
4. Zeno scriveva le date delle ultime sigarette anche *sui muri/sul frigorifero*.
5. L'ultima sigaretta secondo lui ha *un gusto/un ricordo* molto intenso.
6. Il suo amico grasso cerca di smettere *di mangiare/di bere*.
7. Il dottor Muli è *di brutto aspetto/un bell'uomo*.
8. Zeno va nella casa di salute con *un pacchetto di sigarette/due sigarette*.
9. Pensa di ubriacare Giovanna per *scappare/poterla uccidere*.
10. Giovanna va a dormire perché *ha mal di testa/è finito il suo turno*.
11. Le sigarette regalate da Giovanna *sono/non sono* di ottima qualità.
12. La prima cosa che fa Zeno quando scappa è *fumare una sigaretta/togliersi il cappello*.
13. Zeno è geloso del dottor Muli e *di sua moglie/di Giovanna*.

2 Scrivi vicino ad ogni azione il personaggio giusto.
Un personaggio può fare più azioni.

> Zeno • La moglie • Il dottor Muli • Giovanna
> Il padre • L'amico grasso

1 Regala un pacchetto di sigarette a Zeno. _____
2 Ha sempre alcune monete nelle tasche. _____
3 Scrive date su quaderni, libri e muri. _____
4 Non prende sul serio la malattia di Zeno. _____
5 Gli consiglia di dimenticarsi del suo vizio. _____
6 Ha lasciato le figlie all'Istituto dei Poveri. _____
7 Chiede a Zeno perché non diminuisce le sigarette. _____
8 Scappa di notte. _____
9 Aiuta Zeno a preparare la valigia. _____
10 Lascia sigari in giro per casa. _____

Grammatica

3 Completa il brano con le preposizioni giuste.

1 Un giorno va dal medico _____ smettere di fumare.
2 Zeno ha _____ sé le ultime due sigarette.
3 La moglie è molto felice _____ rinchiuderlo.
4 Insieme mettono un po' _____ vestiti nella valigia.
5 Giovanna inizia _____ bere tanto cognac.

ATTIVITÀ DI PRE-LETTURA

4 Ascolta l'inizio del capitolo successivo e correggi le frasi.

1 La mamma del protagonista vive in America.
_____
2 U.S. significa Unione Speciale.
_____
3 Quando il padre muore Zeno ha solo vent'anni.
_____
4 Il padre di Zeno è molto simile al figlio.
_____
5 Zeno e suo padre erano ottimi commercianti.
_____

Capitolo 2
La morte di mio padre

▶ 4   15.4.1890 ore 4.30. Muore mio padre. U.S. Le ultime due lettere non significano United States ma ultima sigaretta. Questa nota, scritta su un libro di filosofia, ricorda l'evento più importante della mia vita.

Mia madre era morta quando non avevo ancora 15 anni. Avevo scritto alcune poesie per lei e il dolore era diventato assai dolce. La morte di mio padre invece fu una vera tragedia. Avevo trent'anni e mi sentivo un uomo finito. Piangevo lui e piangevo me, perché ero rimasto solo e non avevo più un futuro. Come potevo fare senza di lui? Mentre mio padre era vivo non lo cercavo e lo vedevo poco. Non avevamo nulla in comune, noi due. La sua vita mi sembrava triste, e a lui sembrava triste la mia. Lui non si fidava di me, io non avevo stima* di lui. Tutti e due eravamo anche incapaci negli affari*. Molte persone pensavano che papà fosse un buon commerciante, ma io sapevo che l'azienda* di famiglia era in realtà gestita da Olivi.

▶ 5   Papà fumava molto e beveva abbastanza: diceva che erano delle ottime medicine, soprattutto dopo la morte di sua moglie. Proteggeva sempre la sua tranquillità, leggeva solo libri sciocchi e noiosi e la vita di suo figlio lo faceva diventare inquieto*. Di me odiava due cose: che ero molto distratto* e che ridevo sempre delle cose più serie. Quando ho deciso di passare dagli studi all'università di Legge agli studi in Chimica

stima rispetto, pensiero molto positivo verso qualcuno
affari insieme di azioni di vendita e commercio
azienda attività commerciale, società dove lavorano più persone
inquieto che non ha pace, molto agitato e preoccupato
distratto che non pensa e fa cose senza attenzione

mi ha detto che ero pazzo. Mi divertivo molto a fargli degli scherzi e mi era venuta un'idea. Mi sono fatto fare un certificato* da uno psichiatra per dimostrare la mia pazzia. Papà non credeva ai suoi occhi.

– Figlio, tu sei veramente, veramente pazzo!

Era un uomo debole di carattere. Il caro Olivi, amico di famiglia assai astuto che sapeva come ingannarlo, l'aveva convinto a fare testamento* molto presto. Nel testamento infatti papà scriveva, seguendo il consiglio del suo astuto amico, che i nostri affari – e quindi l'azienda di famiglia – dovevano essere gestiti da Olivi. Il pensiero del testamento lo faceva stare molto male. Anche riflettere* sulla morte lo rendeva triste. Ma certo, come poteva essere felice, un uomo così vecchio e solo?

Una sera, alla fine di marzo, sono arrivato a casa più tardi del solito. Un amico mi aveva fermato per la strada a parlare della nascita del Cristianesimo. Io, anche se non avevo nessun interesse per i suoi discorsi, non ero stato capace di lasciarlo e di tornare a casa. La mia solita debolezza!

Quando mi sono liberato dell'amico e sono arrivato a casa, Maria, la nostra cameriera, mi aspettava. Era assai preoccupata. Mi ha spiegato che mio padre mi stava aspettando da ore per cenare insieme, anche se era molto tardi. Mi ha detto anche che papà era inquieto e agitato. Sono corso in sala da pranzo, pensando di vederlo in fin di vita, e lui mi ha salutato con gioia. Mi aveva aspettato per la cena? E per quale motivo? Si stava forse ammalando?

Ci siamo seduti a tavola e papà continuava a sorridere, ma non mangiava. Aveva voglia di parlare ma io non avevo nessuna voglia di parlare con lui! Gli ho spiegato che avevo incontrato il mio amico e che avevamo parlato di religione. Lui era felice.

---

certificato documento di un esperto che dimostra qualcosa
testamento documento dove è scritta la volontà di chi sta per morire

riflettere pensare molto intensamente a qualcosa

ITALO SVEVO

– Allora anche tu pensi alla religione!
– Per nulla! La religione per me è solo un fenomeno da studiare.
– Un fenomeno? Tu ridi anche della religione?
– Ma no, io studio, non rido!

Papà era molto deluso dalle mie parole. Voleva parlare di cose serie ma io, come al solito, ridevo. Infatti ha smesso di parlare, e non mangiava. Solo adesso capisco il perché, ma in quel momento non provavo nessun affetto per lui. Era stanco, tanto stanco, e non aveva voglia di litigare* con me per colpa delle mie idee.

– So tante cose, figlio. E non sono capace di insegnartele. Oh, quanto vorrei farlo! Vedo dentro alle cose, vedo cosa è giusto e cosa è sbagliato.
– Va bene, va bene, papà.
– Peccato che sei arrivato così tardi a casa. Prima ero meno stanco e volevo dirti tante cose.
– Parlami!
– Ora è difficile. Non sto male ma sono così stanco… Vado subito a dormire.

Allora ha chiamato Maria, la cameriera, per sapere se la sua stanza era pronta. Si è alzato ed è andato verso la camera da letto, camminando un po' insicuro. Vederlo così insicuro sulle gambe mi ha fatto riflettere e provare un po' di affetto. Era così malato? O era davvero solo stanco?

– Domani parleremo a lungo e ti dirò tutto.
– Bene, papà. Ti ascolterò!

Non so spiegare perché non ho chiamato subito il dottore, quella sera. Devo dire la verità: vedevo che era debole e stanco, ma mi dava noia. Si sentiva così forte delle sue idee e del suo pensiero! Mi faceva ridere pensare che un uomo come lui, un debole, si sentisse così

---

litigare discutere con forza con qualcuno

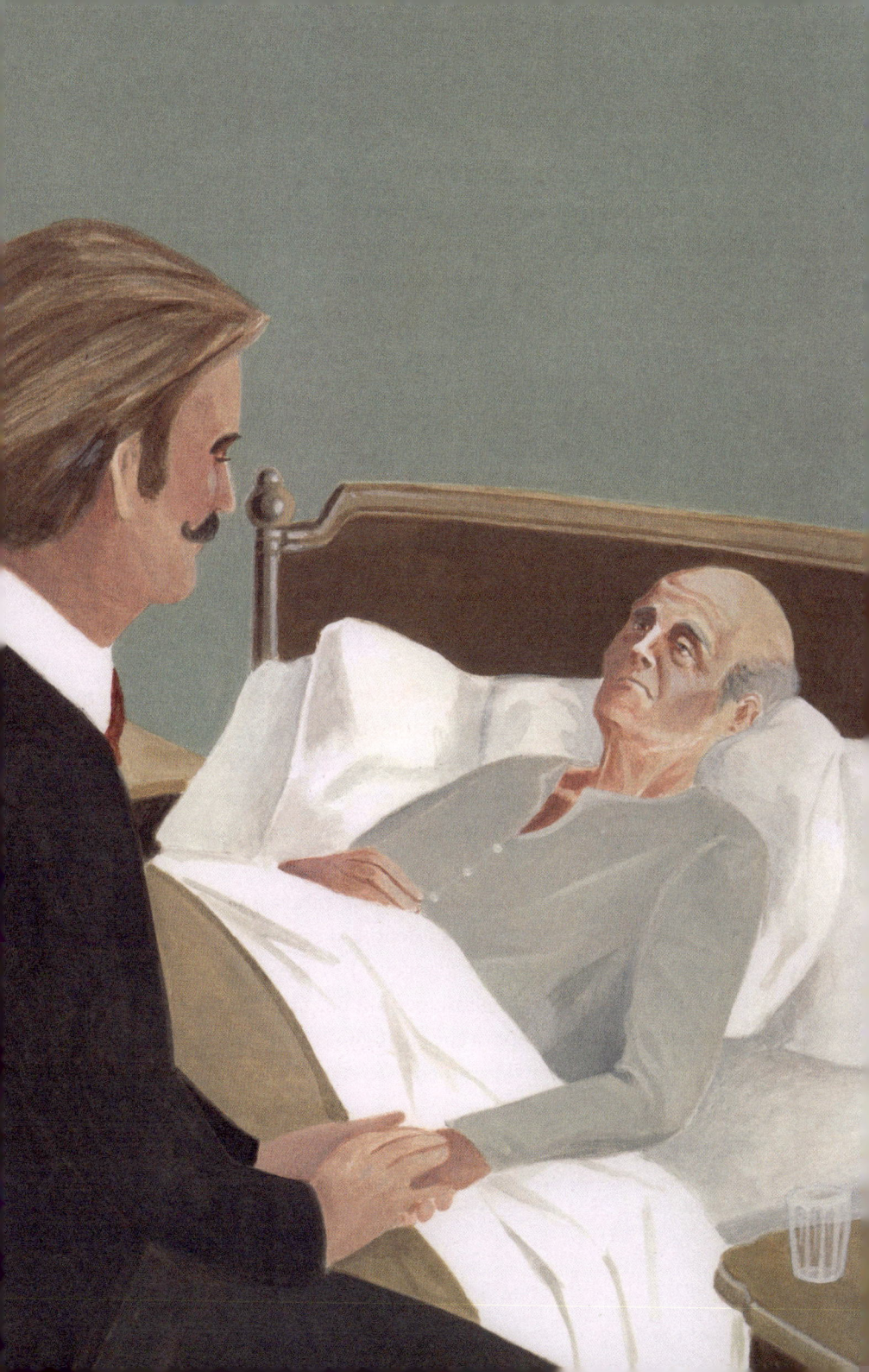

intelligente e sicuro di sé. Ma io ora so che questo suo modo di essere aveva un unico motivo, molto semplice: l'edema* cerebrale.

Mi sono addormentato anch'io, con un sonno profondo. Maria mi ha svegliato tutta agitata e sono andato nella stanza di papà.

Era piccola, piena di mobili e poco luminosa*. Maria stava aiutando mio padre a non cadere dal letto. Gli teneva la testa appoggiata sul petto e cercava di calmarlo. Il viso di papà era sudato e rosso, e dalla sua bocca usciva un lamento* strano, come il verso di un leone. Non capiva nulla e non mi aveva visto entrare. Maria aveva sentito il suo lamento ed era corsa da lui.

– Papà, cosa succede? Ti senti male? Perché ti lamenti?

Era assai vicino alla morte e non sentiva le mie parole. Ero davvero spaventato e pieno di rimorso*: perché non avevo ascoltato cosa voleva dirmi la sera prima? Che stupido ero stato! Mi sono messo a piangere come un bambino.

Per fortuna Maria ha pensato di chiamare il dottore. Io intanto ero rimasto da solo con papà per un tempo che mi sembrava lunghissimo. Volevo fargli capire che lo amavo tanto ma lui non sentiva e non capiva nulla. Pensavo che ora ero un uomo morto anche io: senza mio padre io non ero più nessuno. Questo pensiero mi faceva disperare ancora di più.

Mentre aspettavamo il dottore, papà respirava molto velocemente e in modo rumoroso. Stringeva i denti e si capiva che stava lottando contro il dolore. Io piangevo e piangevo. Riflettevo: in tutta la mia vita avevo cercato di essere migliore per lui, per farlo felice. Papà invece ora stava per morire e sapeva che suo figlio era un vero incapace. Non sarei mai riuscito a convincerlo che ero stato un figlio capace. Il mio pianto era davvero triste.

---

edema cerebrale grave malattia che colpisce il sistema nervoso e il cervello

luminosa dove entra tanta luce
lamento suono simile a un pianto di dolore
rimorso sensazione di avere fatto male qualcosa in passato

Il dottor Coprosich è arrivato all'alba*, insieme a un infermiere. Erano venuti a piedi perché fuori dalla finestra c'era un tempo pessimo. Odiavo quel dottore. Era magro e nervoso, con la fronte larga e pochi capelli. I suoi occhi, quando toglieva gli occhiali, erano come quelli di una statua, sembravano ciechi*. Mi ha chiesto informazioni sullo stato di mio padre e poi ci siamo avvicinati al suo letto.

Il dottore lo girava e lo toccava. Poi ha detto: – È un caso gravissimo! Dovete avere coraggio.

Ha iniziato a rimproverarmi*. Ha detto che dovevamo chiamarlo molto prima, e io lo odiavo. Come poteva una persona così antipatica rimproverarmi? Ero pieno di rabbia. Ma come poteva un dottore dire cose simili al figlio di un uomo che muore?

– C'è speranza per mio padre?

– Nessuna speranza. Con le cure riuscirà a tornare cosciente, ma forse diventerà pazzo.

– Come? Perché dobbiamo farlo tornare cosciente per poi farlo morire? Che cosa cattiva!

– Calma. Suo padre non capirà mai in che stato si trova. Speriamo solo che non diventi pazzo. In ogni caso ho con me la camicia* di forza.

La camicia di forza? Mi sembrava una cosa davvero cattiva non lasciar morire in pace chi era così vicino alla morte. Che violenza! In quel momento odiavo ancora di più il dottor Coprosich. Secondo lui ero un pessimo figlio. Mi sono messo a piangere.

Mio padre intanto dormiva sul lato destro. L'infermiere voleva provargli la camicia di forza, così lo hanno girato e io piangevo. Gli ho dato un bacio e ho pensato che era meglio se moriva subito. Il dottore aveva finito la sua visita. L'infermiere era rimasto a casa nostra. Io stavo in silenzio pensando a quanto odiavo quel dottore.

---

alba momento in cui il sole nasce
ciechi che non vedono
rimproverarmi criticare il mio comportamento, dirmi che ho sbagliato

camicia di forza camicia senza maniche che nel 1700 serviva per tenere fermi i pazzi

Questo sentimento era più forte del mio amore per papà. Lui dormiva sempre, così anch'io sono andato a riposare.

I giorni dopo sono stati tutti uguali. Papà stava meglio, si alzava dal letto e si sedeva nella poltrona. Io ero sempre pieno di rabbia verso il dottore, ma anche verso mio padre, come succede spesso a chi sta tanto tempo vicino a un malato. E poi ero pieno di rabbia verso me stesso, perché non sentivo dolore ma odio. Tutto questo odio mi aveva riempito il corpo.

Una sera Carlo, l'infermiere, mi ha chiamato per farmi vedere cosa succedeva. Papà era in piedi in mezzo alla stanza e diceva: – Apri! Voleva aprire la finestra, cercava aria fresca. Ma il dottore lo aveva vietato. Iniziava anche a dire qualche altra frase, ma non ascoltava la risposta. Ogni tanto diceva cose senza senso e aveva un sonno assai agitato. Il dottore però era soddisfatto delle sue cure.

L'ultima notte della sua vita stava seduto sul letto a guardare le stelle. Non avevo mai visto papà guardare il cielo così a lungo! Era immobile e respirava male. Ho provato a guardare fuori anche io, per capire cosa stava guardando. Forse le Pleiadi? Di colpo si è girato verso di me.

– Guarda, guarda! Hai visto? Hai visto?

Poi si è messo a letto stanchissimo. Non si ricordava nemmeno di aver parlato.

Quella notte è stata lunga e faticosa. Io e l'infermiere lasciavamo fare a papà quello che voleva: camminare, parlare senza senso, aprire la finestra. Avevamo capito che aveva bisogno di libertà. Poi era tornato a letto e io stavo seduto al suo fianco. Proprio a quel punto è successa una cosa terribile. Una cosa che non dimenticherò mai. Una cosa che mi ha tolto il coraggio, la forza, la gioia.

LA COSCIENZA DI ZENO

L'infermiere mi ha detto di tenere fermo papà a letto almeno per mezzora, come aveva ordinato il dottore. Subito papà si era spostato per alzarsi e io gli avevo fermato le braccia con forza. Non avevo mai usato la forza con lui!

Papà aveva aperto gli occhi per lo spavento, si era mezzo seduto di colpo e…

– Muoio!

Avevo lasciato le sue braccia, per liberarlo, e lui con grande fatica si era alzato in piedi. Quindi aveva alzato la mano in alto, molto in alto, e l'aveva fatta cadere proprio sul mio viso. Infine era caduto per terra e… morto!

Piangevo come un bambino. Non era colpa mia, era tutta colpa del dottore! Volevo dire a mio padre che non era colpa mia, ma lui era morto e non sentiva. Io piangevo disperato.

Quello schiaffo* lo sento ancora sul mio viso. Mi resterà per sempre il dubbio: papà mi voleva fare del male e dirmi qualcosa o era solo il movimento di un corpo che sta per morire?

Con il tempo il ricordo di mio padre è cambiato. Ora lo ricordo dolce e buono. Nel mio ricordo ormai io sono il debole e lui è il forte.

---

schiaffo colpo dato sulla guancia a mano aperta

ATTIVITÀ

Comprensione

1 **Metti gli eventi in ordine cronologico.**

- **A** ☐ Il padre vuole parlargli ma è stanco e va a letto.
- **B** ☐ L'infermiere arriva e prova al padre la camicia di forza.
- **C** ☐ Il padre ha una notte agitata e sta per cadere dal letto.
- **D** ☐ Zeno fa tardi per la cena.
- **E** ☐ Il padre muore.
- **F** ☐ Il padre gli dà uno schiaffo.
- **G** ☐ Maria chiama il medico di notte.
- **H** ☐ Il padre sta meglio e si alza spesso.

2 **Indica se le affermazioni sono vere (V) o false (F) e correggi quelle false.**

		V	F
1	La morte del padre è l'evento più importante della vita di Zeno.	☐	☐
2	Il padre non beveva e non fumava perché faceva male.	☐	☐
3	La religione per Zeno è un fenomeno da studiare.	☐	☐
4	Zeno vuole molto bene al dottor Coprosich.	☐	☐
5	Il dottor Coprosich arriva in piena notte.	☐	☐
6	Il padre malato dice cose senza senso.	☐	☐
7	Il padre chiude le finestre perché gli dà fastidio la luce.	☐	☐
8	Prima di morire il padre alza il braccio e la mano.	☐	☐

_____
_____
_____
_____
_____
_____
_____

Scriviamo

3 Perché il papà di Zeno prima di morire gli dà uno schiaffo? Vuole fargli male o no?

_____
_____
_____
_____
_____
_____
_____
_____

ATTIVITÀ DI PRE-LETTURA

4 Leggi e completa lo schema.

1. La camicia di forza non le ha.
2. Documento dove è scritta la volontà di chi sta per morire.
3. Discutere con forza con qualcuno.
4. Il nome dell'infermiere.
5. Suono simile a un pianto di dolore.
6. Che non pensa e fa cose senza attenzione.
7. Che non vede.

Capitolo 3

Il corteggiamento

▶ 6   La mia vita è sempre stata noiosa e senza cambiamenti. Il progetto* di sposarmi e di avere una moglie, quindi, è nato per rendere la mia vita nuova e meno noiosa. Non perché mi ero innamorato o perché avevo conosciuto la donna giusta per me. Cercavo novità e un matrimonio poteva farmi felice. Non sapevo che era tutta un'illusione*!

Tutto ha inizio da mio suocero*. Giovanni Malfenti era un uomo davvero diverso da me, un ottimo commerciante, senza cultura e molto energico. Mi piacevano la sua forza e la sua tranquillità. Aveva 50 anni circa, un'ottima salute e un corpo alto e grosso. Parlava in modo chiaro e facile da capire. L'ho conosciuto in Borsa*, dove Olivi mi aveva detto di andare per migliorare i miei affari. Malfenti si comportava come un padre con me, mi dava buoni consigli per l'azienda di famiglia e per diventare ricco.

Volevo diventare astuto come lui. Mi raccontava i suoi affari e io non li dicevo a nessuno. Sapere che si fidava di me era molto importante. Agli amici della Borsa non parlava mai della sua casa e della sua famiglia. Aveva quattro figlie, che si diceva fossero tutte assai belle. Ognuna di loro aveva un nome che inizia per "a": Ada, Augusta, Alberta e Anna. Quando si arrabbiava Malfenti urlava e lo faceva spesso, per dimostrare che aveva ragione. Anche dopo aver sposato

progetto idea, quello che si pensa di fare
illusione sogno che sembra realtà

suocero padre della moglie
Borsa luogo dove va chi è interessato al mondo del mercato delle finanze

sua figlia, Malfenti urlava contro di me quando facevo qualcosa di sbagliato. Sul letto di morte mi ha detto ciò che pensava di me e mi ha rimproverato. Ma gli volevo davvero bene e quando è morto ho pianto come un figlio. Per me è stato un secondo padre.

Un giorno Giovanni ha deciso di invitarmi a casa sua. La sua famiglia era tornata da una lunga vacanza estiva. Ricordo tutto di quella prima visita. Era un pomeriggio freddo e pieno di nebbia di autunno. In casa c'era un bel clima, caldo e piacevole. Il salotto era elegante e grande, con dei bei mobili. Nella stanza c'era solo Augusta, che leggeva vicino alla finestra. Non era per nulla bella! Era strabica*, aveva capelli sottili e biondi ma senza luce, era un po' grossa e non mi piaceva. Poco dopo è entrata Anna: aveva otto anni, era molto carina e sembrava un angelo. Poi è arrivata la moglie di Giovanni, una bella donna, elegante e molto tranquilla. Tutti e due avevamo grande affetto e ammirazione per il signor Malfenti. Qualche anno dopo ho scoperto che lui non le era fedele, che lei lo sapeva ma che non lo odiava. Non era stupida e voleva mantenere la sua tranquillità, senza rovinare la famiglia.

La signora Malfenti mi ha fatto entrare con gentilezza e ha iniziato a parlarmi. A un certo punto sono entrate nel salotto Ada e Alberta, due bellissime ragazze che hanno dato luce alla stanza. Ecco finalmente dov'erano le belle figlie di Malfenti. Le due erano alte, magre, con i capelli scuri. Alberta aveva una pelle rosa e chiara, mentre Ada aveva i capelli molto ricci e uno sguardo da donna. "Questa è la donna che devo corteggiare* e sposare," ho pensato, vedendo Ada. Non mi sono innamorato della sua bellezza ma delle cose di lei che mi ricordavano suo padre: la ragazza era seria e molto energica come Giovanni. Da quel momento ho iniziato a parlare solo per fare colpo su Ada e per

---

strabica che non guarda dritto, che ha un occhio che guarda da una parte e uno dall'altra   **corteggiare** stare vicino a una persona per piacerle

corteggiarla. Ma lei non amava affatto la mia allegria e rideva solo per educazione.

Le quattro ragazze stavano sedute sempre sullo stesso divano. Le altre donne di casa ridevano ai miei racconti, come quello del gatto inglese con cui avevo parlato, Ada invece iniziava a odiare i miei discorsi stupidi e a essere sospettosa.

– È vero che è pazzo? – ha detto la piccola Anna.

– Silenzio, Anna! – ha detto la mamma.

– È proprio pazzo se parla con i gatti!

– La deve perdonare, mi scusi, – ha detto Augusta, mentre portava via la sorellina.

– Ah ah, ti legheranno con le corde!

Ero senza parole. Non sapevo come difendermi. Allora ho raccontato del certificato medico che dimostrava la mia pazzia, quello che avevo mostrato a mio padre. Mi hanno chiesto della morte di papà e mi hanno offerto un tè. Si sentivano in colpa per le offese* della piccola Anna.

Ada mi ascoltava seria ma più parlavo più lei si sentiva in disaccordo con i miei pensieri ed era distratta. Stavo forse sbagliando tutto, con la mia futura moglie?

Il vero problema era che io volevo un matrimonio come dicevo io. Avevo scelto di sposarmi prima ancora di aver trovato la fidanzata! Avevo scelto Ada e avevo pensato che non poteva dire di no a un uomo intelligente, non brutto, ricco e perbene come me. Non eravamo in accordo, è vero, ma non era importante. Con il tempo io avrei cambiato lei e lei avrebbe cambiato me. Piano piano saremmo stati sempre più vicini. Questo era il mio intento.

Da quella sera la famiglia Malfenti è diventata il centro della mia vita. Passavo ogni sera con Giovanni, che era diventato più gentile.

---

offese parole poco gentili verso qualcuno, che possono fare male

Ogni pomeriggio passavo un po' di tempo nel salotto con le donne di casa, a volte portavo il violino e suonavo un po'. Augusta mi seguiva, suonando il pianoforte, ma Ada si annoiava.

Non mi trovavo mai davvero solo con Ada ma in tutta la giornata pensavo sempre a lei. La sognavo anche di notte, la immaginavo piena di qualità – quelle che io non avevo – e giorno dopo giorno, nella mia mente, lei diventava la donna ideale. Nella mia mente era mia moglie, la mamma dei miei figli e la persona che mi avrebbe fatto diventare un uomo forte, vincente e meraviglioso.

Corteggiare Ada è stato difficile. Prima di allora ero stato un amante coraggioso. Ora ero come un ragazzino timido* e spaventato. L'unico mio intento era sfiorare la sua mano di nascosto. Non avevo il coraggio di dirle il mio amore. Non sapevo che mi aspettava un brutto colpo.

A casa Malfenti portavo fiori alle tre ragazze più grandi e raccontavo tutto della mia vita. Augusta era sempre molto attenta e si emozionava alle mie chiacchiere, Alberta mi ascoltava perché sognava di diventare grande e vivere una vita tutta sua. Ada era distratta ed era certa che quello che dicevo erano solo bugie. Non parlava, non rideva, ma io non vedevo la sua noia perché volevo sposarla a tutti i costi.

Per tre volte di seguito Ada non si è presentata in salotto. Mi hanno detto che non si sentiva bene o che era uscita. Ero arrabbiato: come poteva essere assente* al nostro appuntamento? Lei, la mia futura sposa… La tragedia è successa quando ho scoperto che Ada non era davvero uscita di casa ma che stava chiusa nella sua camera da letto. È stato un colpo al cuore. Quando è uscita dalla stanza l'ho perdonata: era il momento giusto per dirle che volevo la sua mano. Ma ero bloccato. Non sono riuscito a dire nulla.

---

timido che parla poco e prova vergogna   **assente** lontana, non presente

– Arrivederci, Ada. A domani.

Le ho preso la mano per salutarla e l'ho sfiorata con le labbra. Poi sono uscito di corsa.

Una volta fuori dal cancello mi sono fermato. Era giusto tornare dentro e dirle il mio amore? Era meglio tornare a casa e avere pazienza? Il resto della giornata è stato tragico: ero inquieto e spaventato. Dovevo mettere fine a questa situazione! Io avevo bisogno di Ada. La notte non ho dormito. Non facevo che riflettere. Pensavo che Ada forse mi aveva detto una bugia. E se mi sposava solo perché lo decidevano i suoi genitori? Se non mi amava? Non riuscivo a dormire con tutti questi pensieri. "Se Ada non mi vuole sposare," ho pensato "non mi sposerò con nessuna donna". E questo pensiero di uomo forte e coraggioso mi ha fatto addormentare.

La mattina sono andato a casa Malfenti per parlare con la mia futura moglie. Le volevo chiedere se mi amava e la dovevo abbracciare per capire se era sincera. Tutto era deciso. Mi ha aperto la porta la signora Malfenti e mi ha fatto entrare nel salotto. Ha cominciato a parlare dell'amicizia che lei e suo marito avevano per me, e dell'affetto delle loro figlie.

– Caro Zeno, è da quattro mesi che ci vediamo tutti i giorni!
– Da cinque!
– Ah, è vero. Però secondo me voi fate del male ad Augusta.
– Augusta?
– Sì! Voi le fate troppi complimenti e questo non è serio!
– Ma io non vedo mai Augusta!

La signora è rimasta in silenzio, sorpresa o forse spaventata. Io, mentre lei stava zitta, riflettevo sul modo migliore in cui spiegare questo equivoco*.

---

equivoco sbaglio, errore nel capire qualcosa

È vero, avevo suonato con Augusta e parlato spesso a lei, perché era l'unica che mi ascoltava. Era arrivato il momento di dire alla signora che io volevo sposare Ada? O era meglio fare come avevo deciso, cioè parlare prima con Ada? Senza riuscire a decidere sono rimasto in silenzio. Poi mi sono fatto coraggio e ho domandato:
– Cosa devo quindi fare, signora Malfenti? Non voglio far soffrire* nessuno.
– Non deve più venire così spesso da noi. Al massimo due volte alla settimana.
– Se sei lo vuole non tornerò mai più in questa casa!
– Non è necessario, noi le vogliamo bene. Non mi deve odiare per questo.
– Bene, tornerò non prima di una settimana.
Non vedevo l'ora di stare solo per riflettere a tutto quello che era successo. Ma lei mi fece rimanere. Non voleva che io fossi arrabbiato con lei.
– Non dica a nessuno di questo nostro dialogo, Zeno. Nessuno saprà del nostro accordo. Nemmeno mio marito.
– Lo prometto.
Per un attimo ho pensato che Ada poteva soffrire a non vedermi. Ah, la mia adorata Ada che stava male per la mia assenza! Quindi sono uscito e mi sono sentito finalmente libero. Sono corso giù per le scale. Che bella la libertà!
Mi sono fermato a riflettere e ho capito che c'era una sola cosa che volevo avere: Ada. Lei doveva diventare mia. Questo equivoco si doveva risolvere. Il modo migliore per averla era chiedere la sua mano a Giovanni. Ma camminando mi è venuto un tragico pensiero che mi ha aperto gli occhi. Ma certo! I Malfenti volevano che io sposassi

soffrire stare male, sentire dolore

Augusta e non Ada! Perché? Perché Augusta si era innamorata di me, mentre Ada no. Ada non mi amava e non poteva fare del male ai sentimenti di sua sorella. Ero pieno di rabbia e di rimorso. Che disastro*! Odiavo quella brutta ragazza che mi amava! Non dovevo più parlare con Giovanni, dovevo stare lontano almeno cinque giorni da quella casa.

Ho trascorso cinque notti e cinque giorni disperati. Mi stavo preparando a lottare perché Ada si innamorasse di me. Dovevo diventare serio, basta con i racconti divertenti. Dovevo ricominciare a fare affari, perché Ada voleva un uomo perfetto. E poi dovevo andare a cavallo e leggere molti libri. Ero geloso di ogni uomo sano, elegante e gentile che incontravo per la strada perché poteva portarmi via Ada. Pazzo di gelosia, di notte andavo sotto la finestra di casa sua. Di nascosto guardavo se usciva qualcuno, qualche visitatore.

In quei cinque giorni la mia passione d'amore era diventata una malattia.

---

disastro fallimento, momento difficile, danno che non si può risolvere

ATTIVITÀ

Comprensione

1 **Segna la risposta corretta.**

1. Perché Zeno vuole sposarsi?
   a ☐ Per cambiare qualcosa nella sua vita.
   b ☐ Perché ama una ragazza.
   c ☐ Per fare un piacere a Giovanni.

2. Cosa fa Augusta quando c'è Zeno a casa sua?
   a ☐ Suona il violino.
   b ☐ Ascolta con attenzione.
   c ☐ Resta in camera sua.

3. Il signor Malfenti è bravo...
   a ☐ negli affari e a urlare.
   b ☐ a educare le figlie.
   c ☐ a giocare a carte e in Borsa.

4. Perché Ada si nasconde in camera?
   a ☐ Perché i genitori non le permettono di uscire.
   b ☐ Perché ha la febbre alta.
   c ☐ Perché non vuole sentire i racconti di Zeno.

5. I Malfenti vogliono che Zeno sposi Augusta perché...
   a ☐ lei è la figlia più bella.
   b ☐ lei si è innamorata di Zeno.
   c ☐ così potrà andare a vivere lontano da casa.

6. Zeno non dorme di notte perché...
   a ☐ ha troppi pensieri.
   b ☐ si ricorda di suo padre.
   c ☐ ama andare in giro nei bar.

Lessico

2 **Nel testo hai trovato tre volte la parola "colpo". Abbina i quattro modi di dire con questa parola al loro giusto significato.**

a Fare colpo su qualcuno
b Con un colpo di coda
c Accusare un colpo
d Avere un colpo di fulmine
e Dare il colpo di grazia
f È un colpo basso!
g È un colpo di scena!
h Avere un colpo di testa

1 ☐ Con le ultime forze a disposizione
2 ☐ Innamorarsi a prima vista di qualcuno
3 ☐ Prendere una decisione inaspettata e molto pericolosa
4 ☐ Stupire qualcuno in modo molto positivo
5 ☐ È un'azione poco corretta e cattiva!
6 ☐ Fare l'ultima azione contro qualcuno che è già in difficoltà
7 ☐ Essere in grande difficoltà dopo che è successo qualcosa
8 ☐ È qualcosa che nessuno si aspettava!

Grammatica

3 **Completa il testo in cui parla Zeno con i verbi all'imperfetto.**

La famiglia Malfenti (essere) **(1)** _____ il centro della mia vita. Ogni pomeriggio (passare) **(2)** _____ un po' di tempo nel salotto con le donne di casa, a volte (portare) **(3)** _____ il violino e (suonare) **(4)** _____. Augusta mi (seguire) **(5)** _____, suonando il pianoforte, ma Ada (annoiarsi) **(6)** _____. Io non (trovarsi) **(7)** _____ mai davvero solo con Ada ma in tutta la giornata (pensare) **(8)** _____ sempre a lei. La (sognare) **(9)** _____ di notte e giorno dopo giorno, nella mia mente, lei (divenare) **(10)** _____ la mia donna ideale.

ATTIVITÀ DI PRE-LETTURA

4 **Il prossimo capitolo ha come titolo _La storia del mio matrimonio_. Secondo te quali fatti, tra quelli proposti, saranno veramente presenti nel testo? Puoi dare più risposte.**

1. ☐ Zeno sposa Augusta perché Ada non lo vuole.
2. ☐ Zeno scappa da casa Malfenti e non ci torna più.
3. ☐ Zeno tradisce la sua amata Ada con una donna sconosciuta.
4. ☐ Ada si sposa con Zeno.
5. ☐ La signora Malfenti spinge Zeno a sposare la figlia Augusta, che lo ama.
6. ☐ Zeno dice il suo amore ad Ada, poi ad Alberta e infine ad Augusta.

Capitolo 4

La storia del mio matrimonio

▶ 7 Nessuno chiedeva mie notizie, da casa Malfenti. Aspettavo e aspettavo. Dovevo muovermi se volevo sposarmi! Scrivevo spesso, tante lettere che non ho mai spedito. Ho scoperto solo allora che avevo una malattia che mi rendeva infelice.

Tutto è cominciato una notte, verso l'una. Non riuscivo ad addormentarmi quindi mi sono alzato e sono uscito. Camminavo nella notte quando sono entrato in un caffè. Volevo stare solo e riflettere sull'equivoco e sul mio amore per Ada. Guardavo i giocatori di biliardo quando un signore mi si è avvicinato. Era zoppo*.

– Oh, Zeno!
– Tullio! Ma cosa è successo alla tua gamba?
– Sei mesi fa mi sono ammalato di reumatismi* e ora sto così.
– Hai provato tutte le cure?
– Tutte le cure possibili. Ora mi curo con i limoni.
– Ma non è meglio stare a letto, di notte, con i tuoi reumatismi?
– Anche tu puoi prenderti i reumatismi!

Tullio era un mio compagno di scuola. Ora lavorava in banca. Gli ho raccontato dei miei mali. Alla fine quasi piangevo. Mi piaceva sapere che Tullio aveva pena* di me!

---

zoppo persona che cammina male
reumatismi dolori a muscoli e ossa per vari motivi
pena dispiacere e preoccupazione per qualcuno

Quando siamo usciti dal caffè zoppicavo come lui. Mi sembrava di star male e di sentire un forte dolore alla gamba. Pochi giorni dopo è arrivato un male peggiore di questo.

È arrivata la domenica. I cinque giorni di pausa dalle visite a casa Malfenti erano finiti. Dovevo rivedere Ada. Chissà, forse i suoi sentimenti erano cambiati e io soffrivo per nulla! A mezzogiorno, zoppicando, sono arrivato in città. C'era un bellissimo sole che mi dava speranza. Ho aspettato lungo la strada. La signora Malfenti e le figlie camminavano di ritorno dalla Messa. Mi sono trovato di fronte ad Ada. Mi mancava il respiro.

– Buongiorno, signor Cosini. Ho un po' di fretta.

– Buongiorno. Posso accompagnarla per un po'?

– Va bene. Sto andando a casa.

Avevo cinque minuti per parlare con lei. Ada mi faceva stare al suo fianco. Tutti ci potevano vedere! Ero già illuso del suo amore quando...

– Signorina! Permettete?

– Signor Guido!

Un signorino senza barba e dalla pelle chiara ci correva dietro. Lei gli ha sorriso molto felice. Lui era assai elegante e con la mano destra teneva un bastone prezioso. Ada ci presentò. Si chiamava Guido Speier. Parlava un italiano perfetto. Era un bellissimo giovane, con denti bianchi e perfetti. Gli occhi erano vivaci e i capelli ricci e scuri. Si trovava a Trieste da un mese e stava costruendo un casa commerciale.

Ada camminava tra noi ed era davvero felice. Troppo felice! Perché sorrideva così? Per la mia presenza?

Speier e Ada parlavano di spiriti*: quel giovane aveva portato a casa Malfenti le sedute* spiritiche. Arrivati al cancello Ada ha dato la mano a Guido dicendo che lo aspettava quella sera. Poi ha salutato me

---

spiriti immagini di persone morte   **sedute spiritiche** incontri a tavolino per richiamare i morti e farli parlare

e mi ha invitato la sera per una seduta spiritica. Ero davvero infelice: perché aveva invitato prima lui di me?

Guido aveva voglia di chiacchierare. Continuava a parlarmi di spiriti e miracoli. Non volevo dimostrare la mia antipatia, quindi l'ho salutato zoppicando più che mai. Dovevo andare subito da Giovanni per capire un po' di cose.

– Zeno! Che bella sorpresa! Si sieda qui, arrivo tra cinque minuti.
– Grazie, Giovanni.
– Ma lei zoppica! Cosa è successo?
– Sono scivolato mentre uscivo dal caffè.

Giovanni era molto impegnato con gli affari. C'era stato un problema con alcuni ordini e lui urlava anche più del solito. Non era il momento giusto per parlargli.

– Vengo a casa sua, stasera.
– Benissimo. Perché non la vediamo da tanto tempo?

Ma certo, Giovanni non sapeva nulla! Dovevo fidarmi di lui, era innocente.

– Ci vediamo questa sera, caro Zeno. Sentirà un violinista bravissimo!
– Davvero? E chi è?
– Si chiama Guido Speier. Non so se lo conosce.
– Davvero? Davvero? Ma suona tanto bene?
– Ottimamente. Lo sentirà stasera con le sue orecchie!
– Arrivederci allora.

Ero un uomo disperato. Era stato un errore accettare l'invito a casa Malfenti. Mi rimproveravo. Ora avevo un rivale* anche con il violino. Che disastro. Dovevo lasciare subito Trieste. Ormai avevo perso Ada. Arrivato a casa ho preso il violino. Non sapevo se romperlo

---

rivale nemico, persona che lotta con te per lo stesso obiettivo

o suonarlo. Poi ho pensato che forse potevo vincere contro il mio rivale, Guido. Mi sono fatto coraggio e sono uscito.

La cameriera dei Malfenti mi ha fatto entrare nel salotto. Era buio e silenzioso. In un tavolino alcune ombre stavano sedute. Una voce di donna mi ha invitato a sedermi senza disturbare gli spiriti. Erano tutti molto attenti e silenziosi. A me interessava solo sfiorare l'abito di Ada.

– Io vi amo, Ada! – ho detto a bassa voce, con il viso vicino alla donna al mio fianco.

– Perché non siete venuto per tanto tempo?

No! La voce non era quella di Ada ma quella di Augusta. Un altro equivoco!

– Silenzio! – ha detto Guido.

Mi sono posato sul tavolino per allontanarmi da Augusta.

– Si muove, si muove! – urlavano tutti.

Era colpa mia. Ora dovevo continuare lo scherzo. Ho alzato il tavolino sette volte, per indicare la lettera G. Guido era certo che fosse lo spirito del nonno a parlare con loro. Che stupido!

– Ora basta! Qualcuno si diverte a prenderci in giro! Accendiamo la luce, – ha detto Guido.

Nel salotto c'erano le tre ragazze, la signora Malfenti e un'altra signora. Al mio fianco c'era Augusta. Era rossa in viso ma mi sorrideva.

– Non dirò a nessuno quello che mi ha detto.

– Grazie.

Mi sono scusato con Guido per lo scherzo. Ada mi guardava con odio. Guido era divertito e per nulla offeso dal mio scherzo. Lei intanto aveva occhi solo per lui. Che dolore! Dovevo ricordare il mio intento: dirle il mio amore.

– Augusta, forse non verrò più in questa casa. Tra poco dirò il mio amore a vostra sorella.

– Non fatelo! Non vedete cosa succede? Soffrirete.

– Io devo parlare con Ada. Non mi importa cosa risponderà.

Zoppicando sono andato verso Guido e ho acceso una sigaretta. Mi sono guardato allo specchio. Ero pallido*. Ada mi guardava con rabbia. In quel momento è entrato Giovanni. Era arrivato per sentire suonare Guido. Ada era corsa a prendere il violino. Guido cominciava la Chaconne, in mezzo al salotto. Suonava come Bach. Quella musica era un incanto ma io non dovevo lasciarmi incantare. Alla fine tutti stavano in silenzio, incantati. Ma io, invece di restare in silenzio, ho commentato la scelta del finale. Tutti mi hanno guardato con odio e mi prendevano in giro. Che stupido ero stato!

Per fortuna la piccola Anna ha urlato dalla sua camera. Tutti sono corsi da lei e Guido ha dato il violino in mano ad Ada. Così mi sono avvicinato. Era il mio momento. Dovevo essere semplice e veloce.

– Io vi amo, Ada.

Lei mi guardava con sorpresa e paura.

– Posso parlare con vostro padre?

– Io, io…

– Non mi dite che non vi siete accorta di nulla! Pensavate che io amassi Augusta, forse?

– Credete quindi di essere migliore di Augusta? Come potete?

– Ada, io…

– E comunque mi meraviglia che abbiate pensato una cosa simile di me!

– Ada, pensateci. Non sono un uomo cattivo. Sono ricco. Posso diventare quello che volete.

---

pallido con la pelle molto chiara, quasi malata

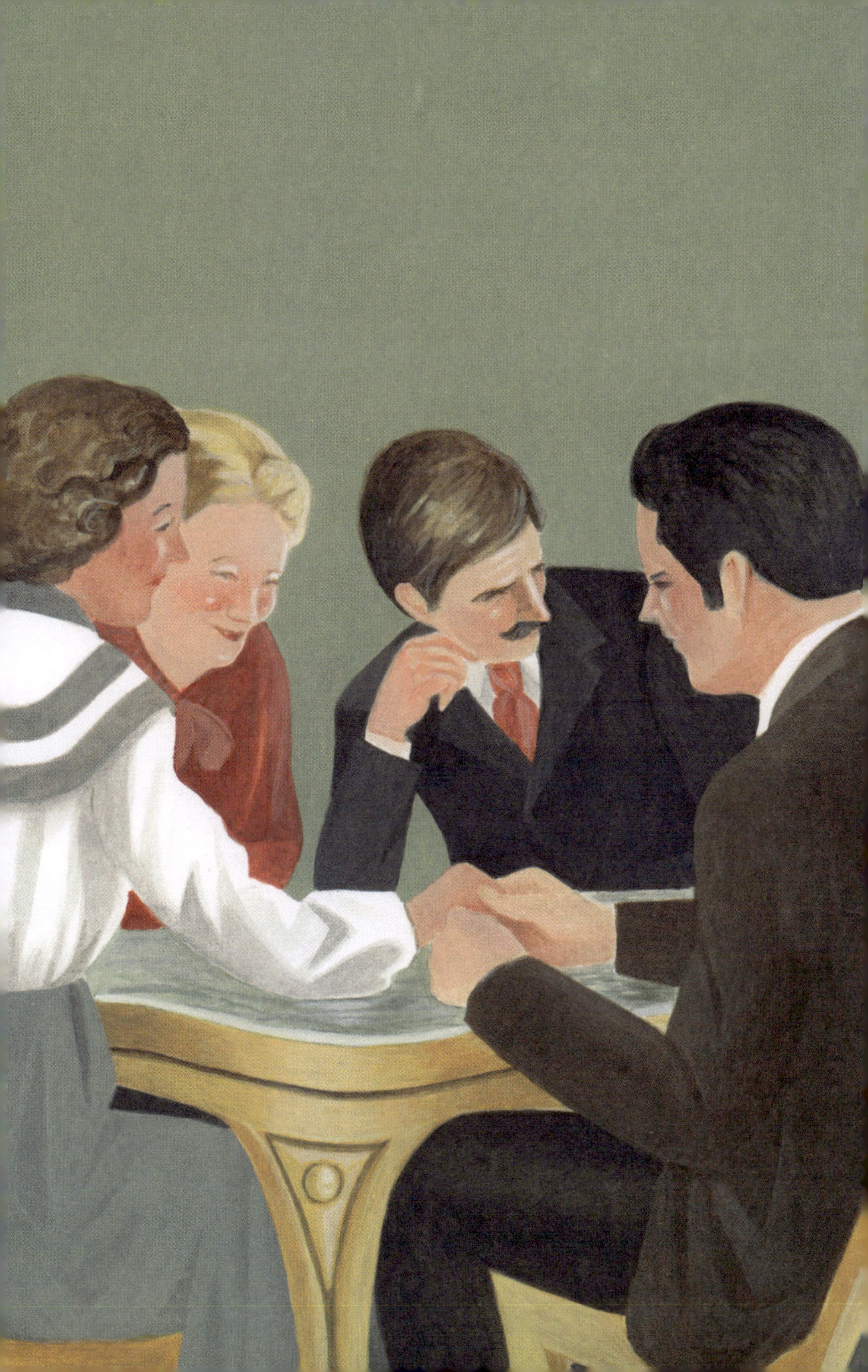

– Pensateci voi, Zeno: Augusta è una brava ragazza, perfetta per voi.
– Io rispetto e stimo Augusta, ma non voglio sposarla. Io non voglio sposarla. Non fa per me.
– Ada! Quel giovane non fa per voi. È uno stupido.

Ada, sempre con il violino in mano, si è alzata di colpo, indignata*. Mi ha rimproverato e mi ha offeso. Voleva farmi del male. Di colpo il suo viso bello e nobile era diventato pieno di rabbia.

Ho preso il cappello per andarmene ma dovevo prima fare pace con tutti. Sono tornato indietro e mi sono scusato prima di tutto con Ada, che ha accettato le mie scuse.

Seduta vicino a me c'era Alberta. L'ho guardata e ho pensato che era davvero simile ad Ada. Mio padre mi diceva sempre che era meglio sposare una donna giovane...

– Cara Alberta, avete pensato che avete l'età giusta per prendere marito?
– Io non penso di sposarmi! Voglio continuare gli studi.
– Potreste studiare anche da sposata. Poco fa ho chiesto ad Ada di sposarmi. Lei mi ha detto no, indignata. Immaginate come soffro... Ma se voi mi sposate io sarò felicissimo!
– Non vi offendete, Zeno. Io vi stimo ma non voglio proprio sposarmi. Voglio diventare una scrittrice!
– Va bene, chiederò ad Augusta la stessa cosa. Però racconterò a tutti che la sposo perché le due sorelle mi hanno rifiutato.

Sono così andato a cercare Augusta.

– Augusta: volete che noi due ci sposiamo? – ho detto senza tanti giri di parole.
– Voi scherzate e non va bene – ha detto la poverina sorpresa e con gli occhi ancora più strabici del solito.
– Non scherzo. Ada e Alberta mi hanno rifiutato. Sono assai infelice.

indignata arrabbiata perché si sente offesa

– Devo ricordare per sempre che non mi amate?
– Sì, io amo Ada ma sposerò voi. Non posso pensare di restare solo.
Lei restava appoggiata al muro e rifletteva.
– Sono un uomo perbene e con me si può vivere anche senza un grande amore.
– Zeno, voi avete bisogno di una donna che viva per voi e vi stia vicino. Io sarò quella donna.

È stato così che mi sono fidanzato. Tutti ci hanno festeggiato. Avevo portato la felicità in una famiglia. Di colpo ho sentito un dolore fortissimo alla gamba. Il dolore fisico veniva dal dolore interiore perché mi prendevano in giro. Era il dolore di un uomo sconfitto. Guido aveva vinto su di me. Quel dolore mi ha accompagnato per tutta la vita. Ho fatto varie cure. Ho cassetti pieni di medicine.

Il fidanzamento è stato faticoso. Augusta era meno brutta di come pensavo e quando la baciavo diventava rossa. Quando Guido si è fidanzato con Ada stavamo sempre in quattro. Se Guido baciava Ada non guardavo. E io davanti a loro non baciavo mia moglie. Le sere insieme erano sempre uguali. Stavamo seduti tutti e quattro al tavolo elegante. Io parlavo di continuo, per riempire i silenzi.

Il giorno del matrimonio mi aspettavano a casa della sposa alle 8. Io alle 7.45 ero ancora a letto a riflettere. Dovevo scappare e lasciare Augusta. Per fortuna è arrivato Guido a prendermi e a portarmi in chiesa. Augusta era pallida e spaventata dal mio ritardo. Ho detto un sì molto distratto al prete. Una volta usciti dalla chiesa Augusta ha ripreso colore nel viso.

– Non dimenticherò mai che mi hai sposato anche se non mi ami.

Io l'ho abbracciata. Di questo non abbiamo più parlato, per tutto il matrimonio. Il matrimonio è molto più facile del fidanzamento. Quando si è sposati non si parla più d'amore.

ATTIVITÀ

Comprensione

1 Abbina le domande alle risposte corrette.

1. ☐ Perché Tullio zoppica?
2. ☐ Dove aspetta Zeno le donne Malfenti?
3. ☐ Cosa fanno in salotto al buio?
4. ☐ Quale strumento suona Guido Speier?
5. ☐ Perché Zeno chiede a tutte le sorelle di sposarlo?
6. ☐ Com'è Augusta dopo che si è fidanzata?
7. ☐ Chi va a prendere Zeno il giorno del matrimonio?
8. ☐ Cosa dice Augusta dopo il matrimonio?

a Suona il violino.
b Una seduta spiritica.
c Meno brutta di come pensava Zeno.
d Perché non vuole essere solo e infelice.
e Guido Speier.
f Che non dimenticherà di aver sposato un uomo che non la ama.
g Perché ha avuto i reumatismi.
h Lungo la strada di ritorno dalla Messa.

2 Segna a quale personaggio si riferiscono le seguenti frasi.
Z = Zeno; G = Guido

1. Una sera inizia a zoppicare. ___
2. Suona il violino molto bene. ___
3. È giovane e bello. ___
4. È appassionato di sedute spiritiche. ___
5. Dice il suo amore a tre sorelle Malfenti. ___
6. Il giorno del matrimonio vuole scappare. ___
7. Sa accettare bene gli scherzi. ___
8. Suo padre gli diceva di sposare una donna giovane. ___

Grammatica

3 Trova 12 aggettivi nello schema e leggi un modo di dire italiano sull'amore.

S	P	A	V	E	N	T	A	T	O
E	L	E	G	A	N	T	E	A	O
D	L	B	E	L	L	A	C	U	N
U	O	I	N	F	E	L	I	C	E
C	E	R	T	O	R	N	O	N	S
A	S	G	I	O	V	A	N	E	T
T	P	A	L	L	I	D	O	I	O
O	C	O	E	N	O	B	I	L	E
M	A	N	D	A	D	O	L	C	E

_____
_____

ATTIVITÀ DI PRE-LETTURA

▶ 8 **4** Ascolta l'inizio del capitolo e completa il testo.

Nella mia _____ ci sono stati alcuni periodi in cui credevo di essere vicino alla felicità e alla salute. Per esempio durante il mio _____ di nozze e i primi tempi del matrimonio. Avevo infatti scoperto, con sorpresa, che _____ amavo Augusta e _____ amava me! Dentro di me speravo di _____ simile a lei, che era la salute in persona. Era una donna sicura, _____ e devota a me e alla religione. La _____ andava a Messa e io la accompagnavo. Mi serviva per capire come faceva mia moglie a credere nella salvezza dopo la _____.

Capitolo 5

Mia moglie

8 Nella mia vita ci sono stati alcuni periodi in cui credevo di essere vicino alla felicità e alla salute. Per esempio durante il mio viaggio* di nozze e nei primi tempi del matrimonio. Avevo infatti scoperto, con sorpresa, che io amavo Augusta e Augusta amava me. Dentro di me speravo di diventare simile a lei, che era la salute in persona. Avevo questa speranza per la prima volta nella vita perché finora ero stato impegnato a studiare la mia malattia. Lei era una donna sicura e fedele a me e alla religione. La domenica andava a Messa e io la accompagnavo. Mi serviva per capire come faceva mia moglie a credere nella salvezza dopo la morte.

9 Augusta infatti credeva nella vita eterna, anche se sapeva che tutti dobbiamo morire. Per lei due sposi devono vivere la loro vita, anche se breve, con tranquillità e amore. Che ingenua*, pensavo! Ma la sua sicurezza e la sua ingenuità mi stavano facendo bene. E non mi sentivo più disperato come un tempo.

Nel nostro viaggio di nozze lungo l'Italia, da Firenze a Roma e Venezia, abbiamo visitato musei e comprato mobili per la casa. Durante il viaggio ho cominciato ad aver paura di morire e di diventare vecchio. Immaginavo che Augusta, alla mia morte, mi tradiva con un altro uomo. La sua bella salute non poteva morire con me, pensavo.

viaggio di nozze viaggio che gli sposi fanno dopo il matrimonio

ingenua semplice, innocente, che non ha pensieri negativi

– Io ti ho amato dal primo momento, Zeno Cosini!
– Non ha importanza. Quando morirò tu troverai subito un altro marito.
– Cosa dici? Non vedi come sono brutta?

In questo modo mi calmavo. Ero così importante nel suo piccolo mondo! Tutte le mie scelte erano importanti, cosa mangiare, cosa vestire, cosa leggere. Augusta sapeva bene come calmarmi e darmi conforto*. Mi diceva: – Povero Cosini! e mi dava tanto affetto.

Quando siamo tornati a casa dal viaggio di nozze, ha trasformato la casa in un nido d'amore, bello e comodo. Potevo fumare nella mia stanza personale e suonare il violino. Tutto in casa era perfetto.

Mia moglie era come una rondine che pensa al nido, al nostro nido d'amore. Io portavo a casa fiori tutte le sere e cercavo di stare tanto tempo insieme a lei. Rispettavo gli orari e lei era felice.

Quando tornavo tardi la sera lei mi aspettava con tranquillità, senza cenare prima di me. Non si arrabbiava mai. E sognava solamente una cosa nuova: una piccola lavanderia* in giardino.

Secondo Augusta dovevo riprendere a lavorare e così ho fatto. Il figlio di Olivi, molto esperto di scienze economiche, mi ha insegnato molte cose. Ma io non amavo quel lavoro. Per me era meglio giocare anche se non avevo molta fortuna. Nessuno si fidava di me come commerciante, né mio suocero né Olivi né il figlio di Olivi. Persino mia moglie, dopo un po', si era convinta che ero un incapace al lavoro e mi ha chiesto di restare a casa con lei. Allora ho cominciato a studiare religione, e mi annoiavo. Uscivo spesso e passavo molte ore in Borsa e al caffè.

Un giorno la mia vita è cambiata. Non so ancora dire se è cambiata in male o in bene. Ho incontrato un amico dell'università che si trovava

---

conforto consolazione, sostegno e aiuto   **lavanderia** stanza della casa dove si lavano i vestiti e si stira a Trieste per curare una malattia grave, una nefrite*. Si chiamava Enrico Copler ed era malato ma sempre sorridente. Abbiamo passato un pomeriggio insieme, ognuno parlava delle sue malattie. Per tutti e due era un piacere parlare dei nostri mali. Anche Giovanni, mio suocero, in quel periodo stava male e ogni tanto dormiva qualche ora nel giardino di casa mia, quando c'era il sole, per trovare conforto. Augusta diceva che io ero un malato immaginario. Copler diceva che i malati immaginari sono più malati dei malati reali, perché il loro problema sta anche nei nervi. Io e lui ci fermavamo in giardino di sera, al tramonto, e guardavamo il porto e il mare. Spesso mio suocero dormiva in giardino con una coperta per coprirsi dall'aria fresca della sera. Respirava male. Copler diceva che bisognava curarlo meglio.

Un giorno Copler mi ha chiesto del denaro per comprare un pianoforte a un povera ragazza, Carla Greco. Lui dava ogni mese, a lei e alla madre, un po' di denaro per vivere. Mi ha raccontato la triste storia delle due donne, rimaste sole, e mi ha convinto. Gli ho dato il denaro. Il giorno seguente la ragazza e la madre volevano ringraziarmi di persona.

– Ma è bella, questa ragazza?

– Bellissima! Ma non è fatta per noi. La sua famiglia è molto onesta ma disperata.

Siamo usciti. C'era un vento gelido, mentre camminavamo nel Giardino Pubblico. Il quartiere era modesto*. Le tre camere dove abitavano le due donne erano separate. Ogni porta guardava sullo stesso pianerottolo*. C'erano una cucina, una camera da letto dove dormivano insieme e una piccola stanza studio* dove siamo entrati.

---

nefrite malattia che colpisce i reni, organi del corpo umano
modesto semplice e povero

pianerottolo spazio che sta tra un piano e un altro di una casa, attorno a una scala
studio stanza per leggere, scrivere e studiare

La signora era timida e vestita di nero. La signorina Carla mi ha dato la mano e mi ha detto: – Grazie! Era davvero graziosa, con lunghe trecce scure ben pettinate. Aveva una voce molto musicale e un bellissimo sorriso. Copler ha chiesto alla ragazza di cantare qualcosa per me, anche se era raffreddata. Lei ha avuto qualche dubbio, non voleva fare brutte figure, poi ha cantato *La mia bandiera*. Era una canzone popolare, non speciale, ma lei era brava. Ho detto che quella voce meritava una vera scuola di canto, non solo qualche lezione da un maestro. Da quel momento in poi ho iniziato a pensare sempre a lei.

Il mio desiderio di rivederla era fortissimo. Non potevo correre da Carla perché Copler non doveva sapere. E se Copler era l'amante* di Carla? Non devo ascoltare il mio desiderio. Non devo mettere in pericolo la mia famiglia! Ma il desiderio diventava sempre più grande, ricordavo le sue trecce nere che coprivano il collo. Volevo baciare quel collo. Tutto questo non cambiava nulla nel rapporto con mia moglie. Anzi, le dicevo sempre parole d'amore, quelle per lei e quelle per Carla. Non ero mai stato così dolce e affettuoso in vita mia! Calmavo il mio rimorso per il tradimento che stava per arrivare.

Non sono arrivato da Carla di colpo ma un po' alla volta. Le prime volte mi fermavo al Giardino Pubblico, poi sotto la sua finestra. Una volta proprio lì ho incontrato mia suocera e mi sono sentito male: cosa stavo facendo? Proprio mentre mio suocero era malato! Ogni mattina andavo al Giardino Pubblico e leggevo il giornale o cercavo partiture* di musica per il mio violino. È stata la musica che mi ha riportato a Carla: tra le partiture da comprare ne ho trovata una per l'arte del canto. Ma certo! Era un segnale. Dovevo comprarla e portarla alla ragazza. Era perfetta per lei. Il giorno dopo dovevo fare a Carla questo regalo.

amante persona amata fuori dal matrimonio   **partiture** fogli con le note musicali di melodie e canzoni

Arrivato al pianerottolo mi sono fermato ad ascoltare. Carla cantava *La mia bandiera* e io ero felice. Ho aperto piano la porta, senza bussare. Volevo vederla subito! Lei cantava con grande entusiasmo ma la stanza piccola e buia mi ha messo una certa agitazione. Lei non mi ha visto e ha continuato a cantare. Così sono uscito, un po' inquieto, e ho bussato. Lei è corsa ad aprire la porta. Non dimenticherò mai la sua figura gentile e graziosa e i suoi occhi scuri. Ora ero più calmo. Carla è diventata rossa di vergogna per il suo abito modesto. Con quel viso rosso era ancora più graziosa.

– Le ho portato questo libro. Credo le piacerà.

– Grazie! Lei ha desiderato rivedermi? Rivedere la poverina che le deve tanto?

Potevo prenderla tra le braccia ma non era il momento. Pensavo ad Augusta.

– Questo libro le insegnerà il canto.

– Ma a lei non piace come canto io?

– Come può immaginare una cosa simile? Non sarei qui! Sono rimasto sul pianerottolo ad ascoltarla. Ma penso che il suo canto possa migliorare e diventare perfetto.

– Ho dei dubbi sul mio canto. Mi sembra di non migliorare mai. Studio, studio, ma rimango allo stesso punto. La mia voce non cambia.

Potevo dire a Carla di abbandonare il canto e di diventare la mia amante. Ma non era ancora il momento. Ora pensavo a Copler.

– Troverà in questo libro tutto quello che cerca.

Dopo mezzora di chiacchierata eravamo più intimi*. Lei mi ha parlato della sua vita triste e modesta, della paura per il futuro. Copler aiutava lei e la madre, ma per quanto tempo ancora? Lui le controllava tutte le spese ed era per loro come un padrone.

---

intimi molto vicini, come chi si conosce

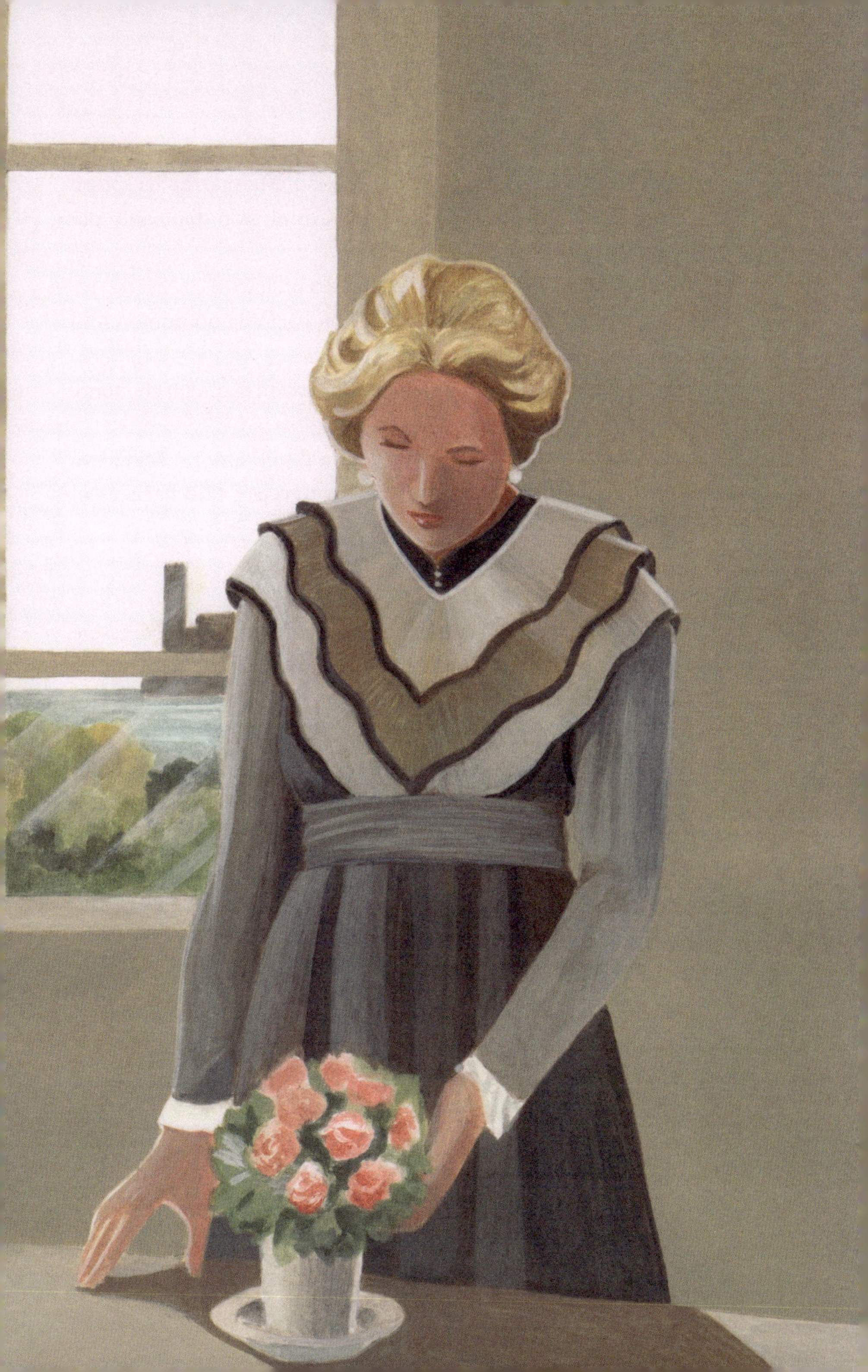

– Lo so che il signor Copler è tanto buono! Ma si arrabbia spesso senza motivo. Ma ora che c'è lei, signor Cosini, non dobbiamo più aver paura, vero? Lei è tanto buono!

– Mi dica, Carla. Copler le ha mai chiesto un bacio?

– Mai! Ma sono disposta ad accettare un bacio da un uomo tanto vecchio a cui devo la vita!

Io ho riso. I malati sembrano sempre più vecchi di quello che sono.

– Ora me ne vado, Carla.

Lei sembrava assai triste. Forse sognava il mio amore? Mi faceva pena, così triste. Quindi le ho spostato la treccia e l'ho baciata sul collo. Lei ha riso.

– Quando ritornerà?

– Domani, o forse più tardi. Anzi, domani.

Camminando lungo il Giardino Pubblico non vedevo l'ora di essere a casa. Carla aveva accettato quel bacio come un promessa di affetto e di protezione. Di sicuro non pensava a me come a un amante. Però, arrivato a casa, mi sentivo il peso del rimorso. E se Augusta capiva? Mi sentivo colpevole e malato. Sentivo dolore alla gamba. Non dovevo più rivedere Carla! Augusta invece credeva che fossi preoccupato per gli affari e mi ha dato conforto. Per farla felice ho parlato della lavanderia che tanto desiderava. Mi sono sentito meglio. Il rimorso diminuiva. A letto guardavo mia moglie che dormiva. Come avrei potuto ferirla? Mai! Il giorno dopo dovevo chiarire la situazione con Carla.

Durante la notte ero molto inquieto. Ho spiegato ad Augusta che riflettevo sulla vecchiaia e sulla morte. Lei ha riso e mi ha consolato. Perché avevo tanta paura di Carla, che non era ancora la mia amante? Quali desideri poteva avere Carla? Augusta, povera donna, desiderava solo una lavanderia!

Il mattino dopo mi sono alzato convinto di andare da Carla e chiarire la situazione. Augusta però mi ha chiesto di accompagnarla a casa dei genitori. Era arrivato da Buenos Aires il padre di Guido Speier, per il matrimonio del figlio. Giovanni stava meglio e parlava in salotto con Francesco Speier, un uomo basso, con poche idee e per niente vivace. Parlavano di affari. Guido aveva appena regalato un bellissimo anello alla futura moglie. Non mi interessava nulla. Ma cosa facevo lì? Avevo ben altri affari da risolvere!

Uscito di casa mi sentivo sicuro e libero dai dubbi. Correvo via dalla casa di mio suocero per allontanarmi da tutta la famiglia Malfenti. Basta con i loro affari e commerci! Basta con denaro e proprietà di Guido e di Ada! Non stavo correndo a tradire Augusta. Stavo per fare con tranquillità quello che desideravo. Una visita a Carla, in fondo, non era nulla di male.

ATTIVITÀ

Comprensione

1 Indica se le affermazioni sono vere (V) o false (F) e correggi le frasi false.

		V	F
1	In viaggio di nozze Zeno capisce di non amare Augusta.	☐	☐
2	Il viaggio di nozze avviene in Argentina, a Buenos Aires.	☐	☐
3	Augusta è una donna assai sana e fedele.	☐	☐
4	L'amico di Zeno, Copler, è una persona molto sana.	☐	☐
5	Giovanni Malfenti è malato.	☐	☐
6	La casa di Zeno e Augusta ha un bel giardino.	☐	☐
7	Carla Gerco vive con i genitori in un bel quartiere.	☐	☐
8	Zeno la prima volta che vede Carla la prende tra le braccia.	☐	☐
9	Zeno si dimostra un ottimo commerciante.	☐	☐

2 Segna a quale personaggio si riferiscono queste caratteristiche.
CO = Enrico Copler; CA = Carla; A = Augusta; F = Francesco Speier

1 Ha lunghe trecce scure. ___
2 È malato ma sorridente. ___
3 È basso e poco vivace. ___
4 Veste abiti modesti. ___
5 È molto sana e sicura. ___
6 Si comporta come un padrone. ___
7 È argentino. ___
8 Dorme in camera con la madre. ___
9 Ha una voce musicale. ___

Grammatica

3 Completa le frasi con i pronomi nel box.

> ci (x2) • l' • le • li (x2) • lo • lui • vi

1 Quando la moglie scoprirà che ha un'amante, _____ manderà via di casa.
2 La moglie _____ ha vista in giro con suo marito e _____ ha inseguiti tutti e due fino a casa.
3 Siamo felici. Domani _____ aspetta un giorno importante: stasera _____ racconteremo tutto.
4 Ieri sera _____ ho incontrati per caso al caffè. _____ era molto bella, _____ era inquieto e aveva paura di essere scoperto. _____ credi?

ATTIVITÀ DI PRE-LETTURA

4 Nel prossimo capitolo Carla impara canzoni più classiche, per esempio la *Ninna nanna* di un famoso compositore. Scrivi le definizioni giuste nello schema e scopri di chi si parla.

1 Persone molto vicine, che sembra si conoscano da tempo.
2 Consolazione, sostegno e aiuto.
3 Il viaggio degli sposi dopo il matrimonio si chiama "viaggio di...".
4 Persona amata fuori dal matrimonio.
5 La malattia di cui soffre Enrico Copler.
6 Semplice e povero.

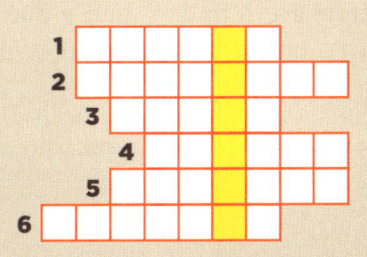

Capitolo 6

L'amante

▶ 10 Arrivato al pianerottolo di Carla non sentivo cantare. La giovane stava cucendo con la mamma. Ero di pessimo umore* perché speravo di trovarla sola. Abbiamo studiato un po' di canto. Io leggevo, lei ascoltava e la madre stava lì ferma. Carla quindi ha fatto uscire la madre. Io desideravo stare da solo con lei.

– Ma non vede che a me non importa nulla del suo canto?

L'ho abbracciata con violenza, poi l'ho baciata in bocca con passione. Le ho spiegato che non vedevo l'ora di vederla. Carla sorrideva e, mentre la accarezzavo*, mi parlava della loro situazione disperata. Voleva farmi pena. Mi ha raccontato anche del suo fidanzato, che l'aveva abbandonata. A me di quel fidanzato non importava nulla! Volevo solo sapere quanti baci le aveva dato. Augusta intanto mi aspettava a casa. Dovevo andare. Non avevo rimorsi perché Carla mi aveva promesso tutti i baci che volevo, da amico. In questo modo io non tradivo veramente mia moglie.

– Io stimo molto mia moglie. Ero innamorato di sua sorella ma ho sposato lei.

– È bella la sua signora?

– Secondo i gusti.

Con queste parole avevo tradito tutte e due le donne e il loro amore. Ho dato a Carla una busta con un po' di denaro. Prima di

---

umore stato d'animo, modo in cui ci si sente   **accarezzavo** facevo carezze con la mano in modo dolce uscire l'ho baciata e lei ha risposto, per la prima volta con passione, al mio bacio. Ero riuscito nel mio intento.

– Io le voglio bene perché lei è tanto buono. Ora so che non devo farla aspettare.

Tutto era chiaro. Una volta uscito da lì mi sentivo male. Ero inquieto. Volevo tornare da Carla e dirle che si sbagliava, che io amavo mia moglie. In fondo non avevo detto di non amarla! Ma non avevo nemmeno detto di amarla veramente. Carla aveva capito che ora ero suo, per questo mi aveva baciato con passione. Mi sono seduto al Giardino Pubblico. Con il bastone ho segnato per terra una data. Non era la data dell'ultimo tradimento: era la data dell'inizio del mio tradimento.

A casa Augusta mi aspettava a tavola. Non mi ha chiesto nulla del mio ritardo e io avevo paura di essere scoperto. Avevo anche pensato di raccontarle tutto, per salvarmi. Lei forse poteva capirmi e perdonarmi. Invece continuavo a riflettere e a fumare. Che disastro. Ero di nuovo malato! Già piangevo per il mio tradimento, ma la verità è che potevo ancora evitarlo. Mi sono fatto un bagno per pulirmi l'anima. Ho pensato che potevo fingere di avere la febbre*. Augusta mi è stata vicina, credendo fossi malato. Ero sul letto e lei mi accarezzava la testa.

– Dovevi immaginarlo!
– Cosa, Augusta? Cosa?
– L'arrivo del padre di Guido per le nozze di Ada...
– Tu credi che io soffra per il matrimonio di tua sorella? Sei pazza? Io da quando ti ho sposata non ho mai pensato ad Ada!

Così l'ho baciata e abbracciata. Ero così sincero e leggero che mia moglie mi ha creduto. Tutto è tornato tranquillo. Le ho detto che mi

---

febbre aumento della temperatura del corpo per malattia

sentivo la febbre e che volevo dormire un po'. La notte ho pensato sempre a Carla e ai suoi abbracci pieni di passione.

Entrato nello studio il giorno dopo, ho visto Carla sola. Che bellezza! L'ho presa tra le braccia e baciata. Poi ho chiuso la porta a chiave. Non desideravo altro. Tutto era chiaro.

– Perché ti sei abbandonata a me?
– Sei tu che mi hai presa! Io ti aspettavo. Sei il cavaliere che mi viene a liberare. Non è bene che tu sia sposato ma... so che non ami tua moglie, allora sono tranquilla.

Di colpo ho sentito un dolore fortissimo alla gamba. E ora? Vicino a Carla è tornata in me la passione per Augusta. Volevo correre da mia moglie.

– Tu sei il mio primo amante. E spero che continuerai ad amarmi!
– Anche tu, Carla, da quando mi sono sposato.

Una volta uscito respiravo forte l'aria di libertà. Non avevo rimorsi. Il rimorso non nasce da una cattiva azione ma dal proprio pensiero. Per questo non avevo rimorsi, perché io stavo correndo dalla mia cara moglie. Il mio pensiero era per Augusta! Mi sentivo puro. A casa ero dolce e affettuoso con Augusta. Più la tradivo più ero dolce con lei.

Quella sera eravamo dai miei suoceri per festeggiare le nozze ormai vicine. Due giorni dopo Ada e Guido si sarebbero sposati. Il dottor Paoli, che curava mio suocero, ha detto che Giovanni stava meglio. Poi ci ha raccontato che anche Copler, suo paziente, soffriva molto per un problema ai reni. Augusta, preoccupata per il mio amico, mi ha pregato di andare a trovarlo. "Benissimo!" ho pensato, "così potrò andare dalla mia piccola Carla!".

Prima sono passato da Copler. Era sul letto mezzo morto. Respirava a fatica. Non sono entrato nella stanza e sono corso da

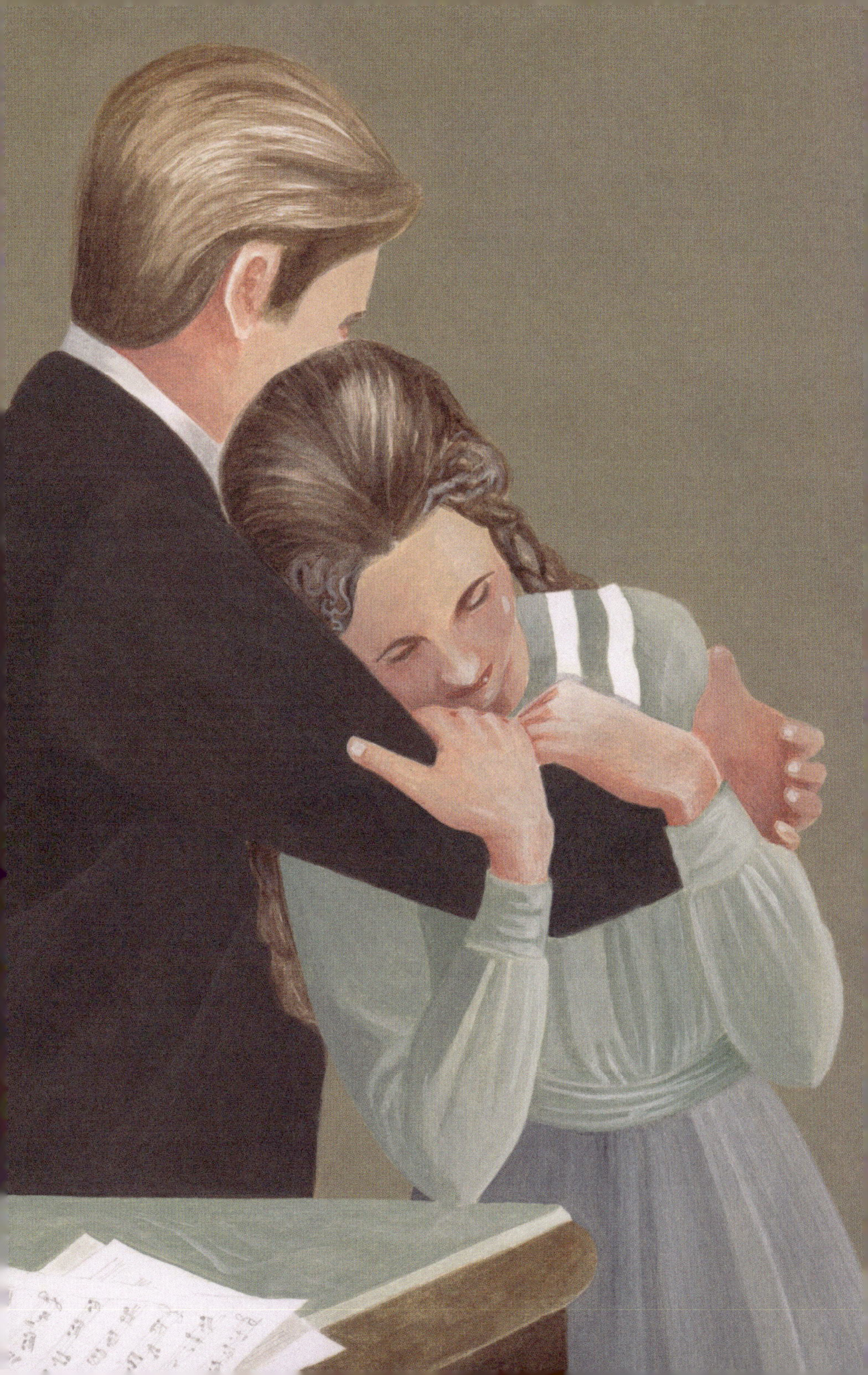

Carla. Ho bussato alla porta ma ha risposto la madre. Carla non c'era, così mi sono seduto in cucina con lei. Le ho detto che venivo a dare una bruttissima notizia: Copler era morto.

– Oh mio Dio! E come faremo ora noi?

– Si calmi, signora.

– Il povero Copler! Era tanto buono con noi…

– Quello che ha fatto Copler per voi, d'ora in poi lo farò io.

Stanco del pianto della signora sono andato nello studio. Quando finalmente la mia amante è arrivata l'ho amata con passione.

– Copler è morto.

– No! Il povero Copler! Da vivo mi spaventava. Ora avrò per sempre paura di restare sola. Ti prego, Zeno, resta a dormire qui, questa notte.

– Non posso. C'è tua madre.

– Portiamo qui il letto. Mia mamma non mi controlla.

– Ma ho una cena di nozze che mi aspetta dai suoceri.

Non avrei mai dormito lì. Mai! Non vedevo l'ora di andarmene. Per cambiare discorso ho parlato di mia moglie e della stima che avevo per lei. Io non volevo farle del male.

– Così ti amo, Zeno! Buono e dolce come ti ho conosciuto. Non farò mai del male alla tua povera moglie.

Augusta non era "povera", ma almeno Carla non parlava più della notte con lei. Ho detto che potevamo mandare via il maestro di canto. Era giusto così: era un regalo per la mia amante. A mia moglie invece avevo comprato la lavanderia che tanto voleva. Uscito da lì sono tornato da Copler. Era morto da due ore e il corpo era sistemato con una croce in mano. Non ho pianto. Nella notte ho sognato il mio amico, offeso perché non l'avevo pianto. Non sono nemmeno andato al suo funerale*.

funerale cerimonia che accompagna il morto alla tomba

La mattina sono andato da Carla. La guardavo nel suo viso perfetto, mentre cantava per me. Aveva bisogno del mio affetto e della mia protezione. Che dolcezza! La sua voce faceva dimenticare tutto. A casa con Augusta ero tranquillo e dolce. Il mio tradimento ormai non mi rendeva più inquieto. Amavo Carla e amavo Augusta. Ero pieno di buoni intenti. Un bel giorno Augusta mi ha detto che aspettava un bambino. Anche Carla aveva diritto a una felicità, così ho trovato per lei un nuovo maestro di canto.

Dopo il matrimonio di Ada, Giovanni era in fin di vita. Per errore ho detto a Carla che mia moglie doveva assistere il padre durante la notte. Carla mi ha obbligato a restare da lei a dormire. Non avevo scuse. Mi sentivo inquieto e disperato. Era un vero sacrificio! Quella sera ho cenato lì, poi io e lei ci siamo messi nel piccolo letto dello studio. Non potevo restare. Con una scusa sono andato via. Fuori il cielo era nero. Mi sono messo a correre. È arrivato un temporale* e mi sono bagnato tutto. Ho suonato il campanello da mio suocero. Augusta era felice di vedermi, perché suo padre stava davvero male. Mi sentivo puro e buono.

Il nuovo maestro di canto di Carla si chiamava Vittorio Lali. La voce di Carla diventava più bella. Non cantava più solo canzoni popolari ma anche Schubert. Ricordo ancora una meravigliosa *Ninna nanna* di Mozart. Quando ci penso sono preso dai rimorsi per non averla amata abbastanza. Carla mi parlava di Lali. Aveva studiato musica a Vienna e a Trieste lavorava come compositore*. Era giovane, biondo, vestito male e molto timido. Ero geloso: possibile che quell'uomo non provasse a baciare Carla? Da allora il mio amore per lei era diventato rabbioso. Lali, come pensavo, le ha chiesto di sposarla. Lei ha detto di no e io ero preoccupato. Volevo liberarmi della mia amante ma

---

temporale pioggia forte e improvvisa   **compositore** musicista che inventa opere musicali

allo stesso tempo non potevo perderla! Come potevo chiudere questa storia?

Durante l'estate mio suocero è morto, io ho lavorato agli affari di Guido ed è nata mia figlia Antonia. Un giorno ho camminato insieme a Carla al Giardino Pubblico. Ho incontrato Tullio, il mio amico zoppo. Ho presentato Carla come un'amica di mia moglie. Lei si è offesa e tutto è cambiato. Era sempre arrabbiata e piangeva. Insicura e inquieta, diceva che voleva vedere in viso Augusta, e io al suo posto le ho mostrato Ada. Carla si sentiva presa in giro. Le avevo detto che mia moglie era brutta, Ada invece era bellissima e triste. Offesa dalle mie bugie Carla si è allontanata da me. Non voleva più il mio denaro né i miei baci. Mi ha detto che non mi voleva vedere mai più.

Senza Carla non avevo più impegni. Potevo stare con mia moglie e mia figlia. Augusta mi ha raccontato che Guido tradiva Ada con una cameriera di casa. Ma Guido diceva che erano tutte bugie e Ada gli credeva. O forse faceva finta. Mi sentivo bene, mi sentivo puro.

Sono andato da Carla ma non c'era. Quel maledetto maestro mi aveva portato via l'amante! Allora ho dato una busta con molto denaro alla madre. Carla di sicuro mi avrebbe cercato per dirmi grazie o per ridarmi il denaro. Carla infatti mi ha dato appuntamento al Giardino Pubblico. Era bellissima.

– Grazie per essere venuta.

– Non posso accettare il tuo denaro. Ti prego, riprendilo.

– Davvero non vuoi più vedermi?

– Zeno! Abbiamo promesso di non vederci mai più. Io ho preso degli impegni.

– Ma quali impegni? Che importanza hanno in confronto a noi?

– Ho preso un impegno sacro! Ieri ho camminato con lui e sua madre!

– Bene, allora adesso camminiamo noi due. Tutti ci vedranno!

– Sei pazzo?

– Lui sa tutto? Sa che siamo amanti?

– Sì, sa tutto. Sa che siamo stati amanti.

– Quindi ci separiamo così, dopo tanto amore?

– Se vuoi vedere il mio sposo entra in casa. Sta suonando il pianoforte.

– Verrò. Farò quello che vuoi.

– Voglio che te ne vai.

– Addio. Se lo vuoi... addio per sempre!

Mi sentivo male. Soffrivo tantissimo. Ho scritto a Carla una lettera, le chiedevo perdono e le dicevo il mio amore. Ma le dicevo anche che capivo il suo comportamento: non potevo darle quello che le dava Vittorio Lali. Dovevo fare qualcosa, ero pieno di rabbia e rimorso. Non potevo soffrire così tanto! Sono andato a casa di Carla. Lei non c'era. La madre di Carla mi ha raccontato del grande amore della figlia e del maestro. Era felice per loro: tra poche settimane si sposavano!

Me ne sono andato indignato. Dovevo dire tutto ad Augusta, per diventare più puro. Lei avrebbe capito. Ma no, non potevo. La soluzione migliore era trovare una nuova amante. Ma se poi metteva in pericolo la mia famiglia? No, non esisteva un'altra Carla al mondo. Così dolce, buona, comprensiva... L'avevo persa. Ero disperato.

ATTIVITÀ

Comprensione

1 **Segna la risposta corretta.**

1. Perché Zeno è di cattivo umore quando vede Carla?
   a ☐ Perché non è sola.
   b ☐ Perché sta lavorando.
   c ☐ Perché sta cantando..
2. Cosa fa Zeno per nascondere il suo tradimento?
   a ☐ Si fa un bagno caldo.
   b ☐ Racconta tutto a un amico.
   c ☐ Finge di avere la febbre.
3. Il tradimento di Zeno lo trasforma: come?
   a ☐ Non lavora più.
   b ☐ A casa è sempre dolce con la moglie.
   c ☐ Non mangia e non fuma.
4. Il dotto Paoli è il medico di...
   a ☐ Augusta e Zeno.
   b ☐ Copler e Zeno.
   c ☐ Giovanni Malfenti e Copler.
5. Il desiderio di Carla è quello di...
   a ☐ dormire una notte con Zeno.
   b ☐ sposarsi.
   c ☐ avere un figlio da Zeno.
6. Vittorio Lali, il maestro di canto, cosa prova per Carla?
   a ☐ La stima molto.
   b ☐ La vuole sposare.
   c ☐ La considera come una sorella.

Ambiente

2 **Vedere passeggiare un uomo e una donna insieme e molto vicini cosa fa pensare alla gente nel periodo storico di Svevo? Segna i pensieri giusti, tra quelli proposti qui sotto.**

1. ☐ Che sono due amanti.
2. ☐ Che sono marito e moglie.
3. ☐ Che sono cameriere e padrone.
4. ☐ Che sono due fratelli.
5. ☐ Che si amano.
6. ☐ Che stanno scappando.
7. ☐ Che sono padre e figlia.
8. ☐ Che fanno la spesa.

Lessico

3 Come sono i rapporti tra Zeno e le persone che gli stanno vicino? Completa le frasi con i nomi della famiglia e delle persone vicine.

Zeno ha una (1) _____ di nome Augusta, dalla quale avrà una (2) _____ di nome Antonia. Giovanni Malfenti, il (3) _____ di Zeno, sta male, infatti viene curato dal suo (4) _____, il signor Paoli. Questi cura anche Copler, che è un vecchio (5) _____ di Zeno, così come lo è Tullio. Ada e il suo futuro (6) _____, Guido Speier, sono pronti per le (7) _____. Dopo il loro (8) _____ però ci sono dei problemi perché Ada vede Guido abbracciato alla loro (9) _____.
Carla Gerco è per Zeno un' (10) _____: la ragazza vive con la (11) _____ in una casa modesta.

ATTIVITÀ DI PRE-LETTURA

▶ 11 **4** Ascolta la prima parte del capitolo seguente e completa le frasi.

1. Zeno è felice di lavorare con Guido perché per lui è un _____ e perché vuole dimostrare al mondo che è un bravo _____.
2. Guido compra due _____ per la casa commerciale, una per lui e una per Zeno.
3. Guido ha molta _____ nell'amico ed è sicuro che sia molto bravo.
4. A dire la verità la loro _____ non ha mai guadagnato nulla.
5. L'ufficio era molto _____ e aveva _____ stanze: una per fare i conti, una con la cassa del denaro e una con scritto "_____".

Capitolo 7

Storia di una casa commerciale

▶ 11 Guido dal primo momento mi ha voluto con sé nei suoi affari. L'idea di lavorare con lui mi piaceva molto per due motivi: Guido era un amico per me e pensavo ancora di poter dimostrare al mondo che ero un bravo commerciante. Guido aveva bisogno della mia protezione e dei miei consigli, anche se non sono mai stato fortunato negli affari. Lui però era sicuro che io fossi bravo e questo mi bastava. Per la nostra casa commerciale Guido ha comprato due scrivanie*, una per lui e una per me. Ero molto orgoglioso. Aveva grandi progetti di commercio, nuovi rispetto a quelli del suocero Malfenti e della mia azienda con Olivi. Guido si fidava molto di me, infatti ho lavorato per lui e con lui per due anni senza avere uno stipendio*. La nostra casa commerciale infatti – ora posso dirlo, – non ha mai guadagnato nulla.

Mi sentivo molto legato a Guido e oggi penso che questa amicizia è nata dalla mia malattia. Perché? Perché quando stavo bene con lui dimostravo a tutti che Ada mi era indifferente! Per stare vicino a Guido facevo di tutto, e piano piano gli volevo sempre più bene.

Il nostro ufficio era molto luminoso e aveva tre stanze: una per fare i conti, una con la cassa del denaro e una con scritto: "Privato". Guido portava nella casa commerciale la sua esperienza di studio in Inghilterra. Le nostre scrivanie stavano nella bellissima stanza privata,

---

scrivanie mobile usato per scrivere, spesso con cassetti **stipendio** denaro che viene dato ogni mese ai lavoratori

con divani, poltrone e pareti eleganti. L'unico nostro impiegato*, giovane e non esperto, era Luciano.

▶ 12   Oggi Luciano è un commerciante di Trieste molto rispettato.

Da Buenos Aires, dopo qualche mese, è arrivato il denaro. Guido però, anche se aveva studiato alla Scuola superiore di commercio, non aveva le idee chiare sulla scienza del dare e avere. Non amava spendere denaro e diceva di no a tanti affari, anche quelli che a me sembravano ottimi affari. Io lasciavo le scelte a lui, che era il proprietario della casa commerciale. Non prendevo mai decisioni, studiavo gli affari e criticavo* ma non decidevo. Eravamo un po' come don Chisciotte e Sancho Panza. Lui era don Chisciotte, io Sancho Panza.

Era bello stare nel nostro ufficio luminoso. Lavoravamo poco e chiacchieravamo tanto, anche con Luciano. Augusta, la sera a casa, mi chiedeva quando iniziavamo a guadagnare qualcosa.

– Tesoro, non è il momento!

– Ma come? Lavorate tanto, tutti i giorni...

– Non pensiamo al denaro, ora. Dobbiamo studiare bene la situazione!

– Se lo dici tu... ma noi...

Augusta era sospettosa ma si fidava di me. Io intanto pensavo che Guido non aveva proprio il talento del commerciante. Per esempio nel nostro ufficio ha cominciato a portare il suo cane da caccia, di nome Argo. Mi sono indignato. Come si può portare un cane in ufficio tutti i giorni? Argo faceva molto rumore e sporcava. Per me avere un cane in ufficio era segno di incapacità, ma Guido lo voleva tanto con sé. Ho sempre odiato quel cane, ma non mi lamentavo.

Il quinto essere umano entrato nel nostro ufficio è stata Carmen. È arrivata una mattina per un colloquio* di lavoro, con una lettera di

---

impiegato persona che lavora per altre persone
criticavo trovavo i lati negativi di una cosa, dicevo la mia idea negativa

colloquio di lavoro incontro con un possibile datore di lavoro, per farsi conoscere

presentazione. Era molto bella, alta e con un bel corpo, con gli occhi luminosi e il viso bruno. Aveva un trucco perfetto e degli stivaletti* eleganti. Guido l'ha subito fatta entrare nel suo ufficio.

– Signorina, conosce la stenografia*?
– No, signore. Ma sono brava a scrivere sotto dettatura.
– Conosce l'inglese, il francese o il tedesco?
– Conosco un poco il tedesco.
– Il tedesco lo conosco molto bene io. Non so…
– Mi piacerebbe imparare cose nuove.
– Be'…
– Mi basta uno stipendio basso…
– Allora… va bene. Ma deve studiare la stenografia.

La bellezza femminile ha questo effetto sull'uomo. La sera ho raccontato a mia moglie del colloquio e lei ha pensato subito che Guido aveva fatto un colloquio per un'amante. Io ho detto che Carmen mi sembrava una ragazza perbene. Il giorno dopo però Ada, sospettosa, è venuta in ufficio. Guido non era in ufficio. Le due donne si sono studiate con lo sguardo: erano simili e molto belle. Ada, con la sua bellezza silenziosa, sembrava la moglie perfetta, mentre Carmen, con la sua bellezza urlata, l'amante perfetta. Ada era gelosa e ha guardato con odio lei e i suoi stivaletti eleganti. Per l'ultima volta ho visto Ada bella e orgogliosa. Da quel giorno la sua vita è stata un disastro.

Carmen ha portato tanta vita ed energia nel nostro ufficio. Guido aumentava gli affari, perché voleva dimostrare a me e a Luciano che Carmen era necessaria. Inventava sempre nuovi lavori per tenerla impegnata. Per mezzo del commercio cercava di corteggiare Carmen. Con lei era dolce e affettuoso quando le insegnava a scrivere e a fare conti.

---

stivaletti tipo di scarpa da donna con tacco   **stenografia** tecnica di scrittura che usa simboli e abbreviazioni

La nostra casa commerciale in quei tempi si è impegnata in tanti affari, come quello con Tacich. Tacich veniva dalla Dalmazia e suo padre aveva lavorato con il padre di Guido in Argentina. Era un uomo bellissimo, forte e alto. Mi sembrava perfetto per stare vicino a Carmen, vista la sua bellezza. Infatti anche lui aveva notato la bellezza di Carmen e veniva tutti i giorni a trovarci in ufficio. Guido e Tacich lottavano come due rivali per avere l'attenzione della donna. Io guardavo la loro lotta e mi divertivo.

L'affare che Tacich ci proponeva era con il solfato* di rame. Diceva che il solfato di rame cambia prezzo molto facilmente e che quindi è possibile comprarlo a prezzo basso e rivenderlo quando il prezzo è più alto. Abbiamo così comprato molte tonnellate* di solfato di rame in Inghilterra per poi venderlo a prezzo più alto. Guido era certo di guadagnare molto denaro, con questo affare. Ma mentre Guido pensava al successo e ai soldi il solfato di rame non saliva di prezzo e quindi addio affare. Abbiamo perso molto denaro. L'unica cosa positiva di questo affare andato male è stata che Tacich è partito e non è più tornato da noi a corteggiare Carmen. Da quel momento Guido ha sempre pensato che il motivo del suo disastro era il solfato di rame.

In quel periodo ero spesso assente dall'ufficio perché Carla mi aveva abbandonato da poco e io soffrivo a vedere l'amore tra Guido e Carmen. Forse ero geloso perché Carmen mi ricordava Carla. Pensavo che anche con la seconda donna Guido era stato più fortunato di me. Io avevo perso Carla per stare con mia moglie, avevo sofferto tanto. Per me era difficile avere due donne nello stesso tempo. Guido invece era tranquillo e felice, anche amando due donne insieme.

Quando sono tornato in ufficio, dopo la mia assenza, Guido mi ha abbracciato come sempre. Luciano era molto felice del mio ritorno

---

solfato di rame composto chimico usato soprattutto per proteggere le piante dalle malattie

tonnellate unità di misura (una tonnellata vale mille chilogrammi)

perché senza di me gli affari erano andati malissimo per colpa del solfato di rame e della paura di Guido dopo questa brutta esperienza. Carmen invece – non so per quale motivo, – mi ha proposto una bella amicizia. No! Anche lei! Ero disperato, anche Carmen mi allontanava come uomo e amante.

Guido spesso non si faceva vedere in ufficio, perché andava a caccia o a pesca. Io lavoravo molto e Guido mi voleva sempre più bene. Mi invitava a caccia con lui ma io dicevo sempre di no perché odio la caccia. Però ho accettato un invito a una pesca notturna.

Quella sera la mia piccola Antonia piangeva disperatamente, e io non ero bravo a farla smettere. Così Augusta mi ha mandato via. Ho camminato a lungo di notte per arrivare al porto. C'erano tante stelle e la notte era dolce e calma. Ero tranquillo e pensavo ad Augusta. Arrivato al molo* Sartorio l'acqua era calma e alta. Vicino a me c'era una donna con degli stivaletti eleganti: Carmen.

– Carmen?

– Che bello, signor Cosini! Anche lei sarà alla pesca con Guido?

– Guido mi ha invitato. Se avete altro da fare vi lascio soli.

– Ma no! Sono felice di vederla. In barca ci sarà anche Luciano. Tutto l'ufficio! È la prima volta che vado a pesca con Guido.

– Davvero?

– No, la seconda. Però era di mattina.

Guido ci ha chiamati per farci salire. Davanti a me, a poppa*, sedeva Guido e ai suoi piedi Carmen. Luciano remava. Siamo partiti, le luci del porto si allontanavano. Tante barche come noi pescavano. Guido ha dato a tutti una lenza* con l'amo per pescare. Mangiavamo panini e bevevamo birra, mentre Guido chiacchierava sempre. Parlava del mare, del prezzo dell'oro. A un tratto la mia

---

molo punto del porto in cui le barche si fermano e attraccano **poppa** parte dietro di una barca
lenza filo per pescare

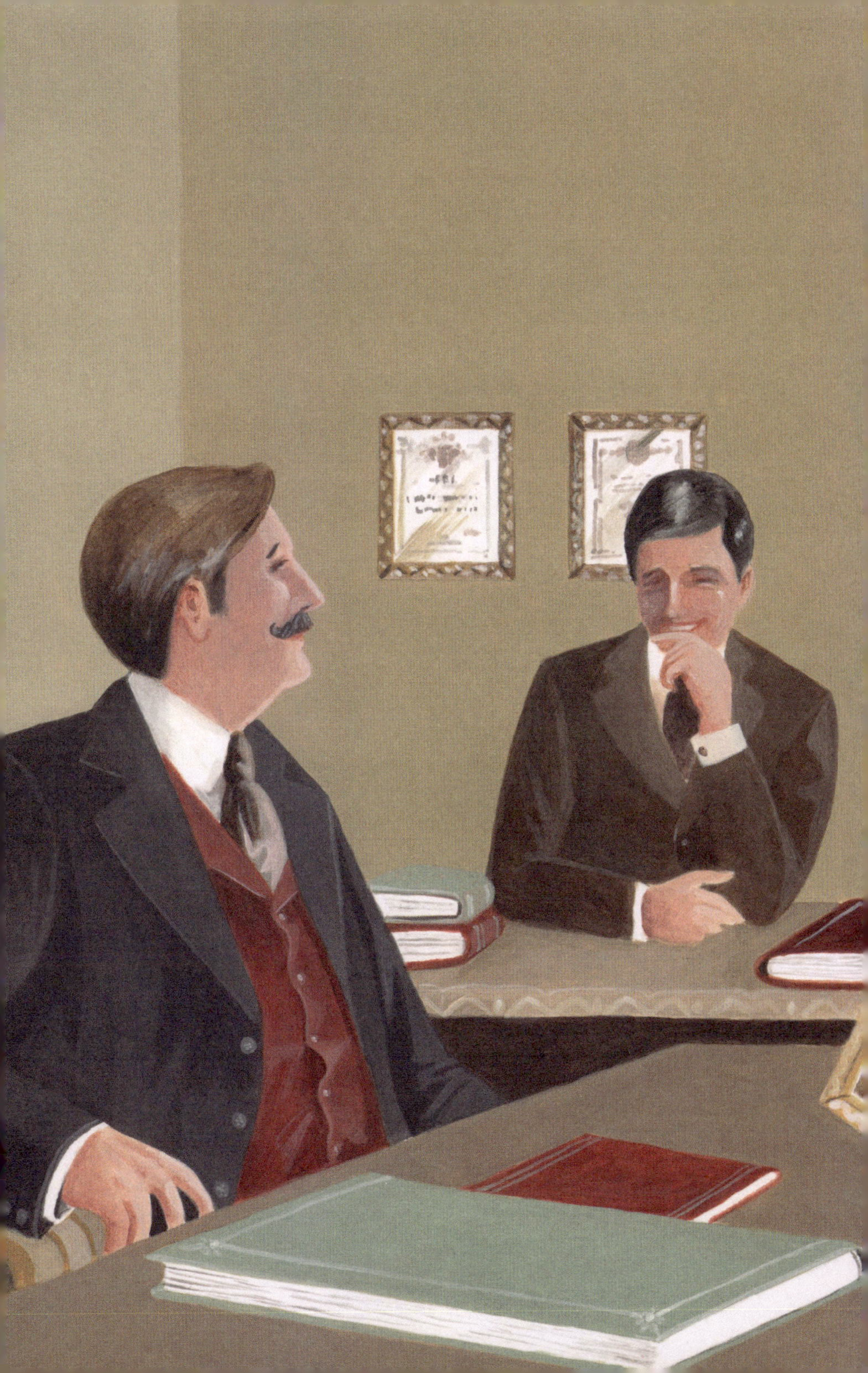

lenza tirava forte: avevo pescato una grossa orata* color argento. Un'orata di tre chilogrammi! Ero stanco e volevo tornare a casa. Ho spiegato a Guido che mia figlia piangeva tanto e che dovevo andare da Augusta. Arrivato a casa infatti Antonia aveva la febbre alta. Si lamentava molto e io mi sentivo in colpa. Era colpa mia, che ero andato via? Non riuscivo a dormire, avevo un peso al cuore. Così ho parlato con Augusta, le ho detto tutto, che Carmen era con noi in barca e che mi sentivo in colpa. Lei ha capito e mi ha abbracciato. Però le ho chiesto di farmi una promessa: non doveva dire a nessuno di Carmen e Guido. Non potevo rovinare la vita del mio amico.

Un giorno, in ufficio, parlando di affari, Guido ha detto che lui odiava il commercio. E ha detto anche che se l'ultimo affare non andava bene, lasciava tutto e chiudeva la casa commerciale.

– E come guadagnerai, Guido?
– Con il violino, per esempio. O con attività più intelligenti.
– Be', però bisogna studiare molto.
– Allora con la letteratura.
– Guido, ma dici sul serio?
– Certo! Volete delle belle favole*? Ne invento una come Esopo!

Tutti abbiamo riso. Lui era serio. Ha preso la macchina* da scrivere e ha cominciato a battere sui tasti. Ha scritto due favole sugli animali. Le abbiamo lette.

– Ma cosa si guadagna da due favole così? – ha chiesto Luciano.
– Il piacere di averle scritte! E poi tanto denaro.
– Sono bellissime! Posso copiare queste favole? – ha chiesto Carmen innamorata.

---

orata pesce di mare ottimo da mangiare
favole racconti che hanno spesso come personaggi gli animali e una parte finale che insegna qualcosa

macchina da scrivere strumento che si usava prima del computer per scrivere testi, con tanti tasti da battere

Ero geloso e sentivo dolore dappertutto. Ho preso la macchina da scrivere e ho cominciato anche io. Ho scritto due favole bellissime.

– Non è una favola! – ha detto Guido ridendo.

– Lei non vuole bene a Guido! – ha detto Carmen arrabbiata.

– Le tue favole sono migliori delle mie, Guido. Ma queste sono le prime favole che scrivo!

– Anche le mie, cosa credi?

– Allora tu hai di certo un talento speciale per le favole.

Così abbiamo chiuso la nostra lotta per dimostrare chi era il migliore. Per gli affari invece era necessario essere molto più seri. Dopo il solfato di rame avevamo paura di perdere molto denaro. Facevamo tanti piccoli affari, Guido non cambiava il suo modo di fare commercio. Per questo motivo abbiamo sempre perso molto denaro e guadagnato poco o niente. Gli antichi Greci usavano una parola che è perfetta per Guido: "astuto imbecille*". Guido infatti era una persona molto astuta, ma anche molto stupida. Senza capire nulla si è trovato coinvolto sul cattivo affare del solfato di rame. Allo stesso modo, senza capire nulla, si è trovato coinvolto anche in altro: la nascita dei suoi due gemelli.

---

imbecille molto stupido

ATTIVITÀ

Comprensione

1 **Metti le frasi in ordine cronologico.**

A Guido fa un colloquio di lavoro a Carmen.
B Il quarto essere che entra in ufficio è il cane Argo.
C Zeno sta lontano dall'ufficio perché pensa a Carla.
D Guido apre una casa commerciale.
E Tacich propone un affare con il solfato di rame.
F Guido vuole cambiare lavoro.
G Tacich e Guido corteggiano Carmen.
H Guido compra due scrivanie per l'ufficio.
I Tutto l'ufficio va in barca a pescare di notte.

1 _D_ 2 ___ 3 ___ 4 ___ 5 ___ 6 ___ 7 ___ 8 ___ 9 ___

2 **Leggi il riassunto del quinto capitolo e scegli le parole per completarlo.**

Guido Speier apre una casa commerciale **(1)** _____ al suo amico Zeno, di cui ha molta fiducia. Guido non è bravo negli affari anche se ha **(2)** _____ alla Scuola superiore di commercio, ma vuole provare. Prima fa entrare Luciano, un **(3)** _____ poco esperto, poi un cane di nome Argo e alla fine una segretaria di nome Carmen. Carmen è bellissima e Guido **(4)** _____ si innamora di lei, la corteggia e lei diventa la sua amante. Intanto sua moglie Ada è gelosa e va a conoscerla in ufficio. Zeno è geloso dell'amore tra Carmen e Guido e racconta **(5)** _____ a sua moglie Augusta, della pesca di notte e dell'amore tra i due.
(6) _____ la figlia Antonia si ammala e lui si sente in colpa perché mentre aveva la febbre lui era a pescare. Quando torna in ufficio Guido spiega **(7)** _____ forse vuole cambiare lavoro e chiudere la casa commerciale. Ma c'è un'altra novità in arrivo: due **(8)** _____!

1 **A** accanto   **B** insieme   **C** davanti   **D** con
2 **A** lavorato   **B** dormito   **C** mangiato   **D** studiato
3 **A** giovane   **B** signore   **C** segretario **D** vecchio
4 **A** ovviamente   **B** solamente   **C** ma   **D** molto bene
5 **A** Ada   **B** male   **C** tutto   **D** una bugia
6 **A** durante   **B** davvero   **C** poiché   **D** intanto
7 **A** con   **B** che   **C** di   **D** da
8 **A** gemelli   **B** cani   **C** amici   **D** affari

Grammatica

3 Trasforma i verbi all'imperfetto del testo con verbi al passato prossimo.

Guido amava **(1)** _____ molto sua moglie Ada ma non sapeva **(2)** _____ resistere alla bellezza di Carmen, infatti la corteggiava **(3)** _____ per tanto tempo. Poi Carmen diventava **(4)** _____ la sua amante e Zeno, che era **(5)** _____ sempre geloso degli altri uomini, raccontava **(6)** _____ a sua moglie Augusta l'amore tra i due. Poiché non voleva **(7)** _____ rovinare la vita del suo amico, si faceva **(8)** _____ promettere dalla moglie di non dirlo a nessuno. Guido intanto si stancava **(9)** _____ del suo lavoro e aveva **(10)** _____ paura di perdere ancora tanto denaro come con l'affare del solfato di rame.

ATTIVITÀ DI PRE-LETTURA

4 Secondo te cosa succederà nel prossimo capitolo? Prova a scrivere come può andare avanti questa storia.

_____
_____
_____
_____
_____
_____
_____
_____

Capitolo 8

Un matrimonio disastroso

▶ 13 La nascita dei gemelli ha portato un po' di dolcezza a Guido e a sua moglie. Sembravano quasi felici. Ma la gioia è durata molto poco. Guido è tornato alla vita di prima: ufficio durante la settimana, caccia nel fine settimana e molte notti a pesca. Ada si sentiva molto sola. E quando l'ho vista in viso ho capito che c'era qualcos'altro in lei. La malattia.

La sua voce era diventata insicura e il viso magro, senza luce e pallido. Spesso piangeva e si lamentava del marito con me e Augusta, i suoi unici amici. Il dottore ha spiegato di cosa si trattava: morbo* di Basedow. Ada era diventata brutta ma era sempre molto dolce con me. Pensavo che forse poteva innamorarsi di me. Era un speranza o un brutto sogno?

Il dottor Paoli ha consigliato di mandare Ada in una casa di salute a Bologna per guarire. La malattia era grave. Abbiamo accompagnato la malata in stazione. Ada, con gli occhi enormi per colpa della malattia, ci salutava con il fazzoletto dal treno. Mia suocera mi ha ringraziato, anche la piccola Anna, che ormai aveva 12 anni. Mi volevano bene perché mia moglie era in salute, mentre odiavano Guido perché aveva fatto ammalare Ada.

Guido era sempre di cattivo umore. Andava spesso a caccia e a pesca e non voleva Ada di nuovo a casa. Dentro di lui – io lo sapevo, – sperava che lei restasse a Bologna, per stare da solo con Carmen.

---

morbo malattia (qui "morbo di Basedow", malattia che colpisce la tiroide)

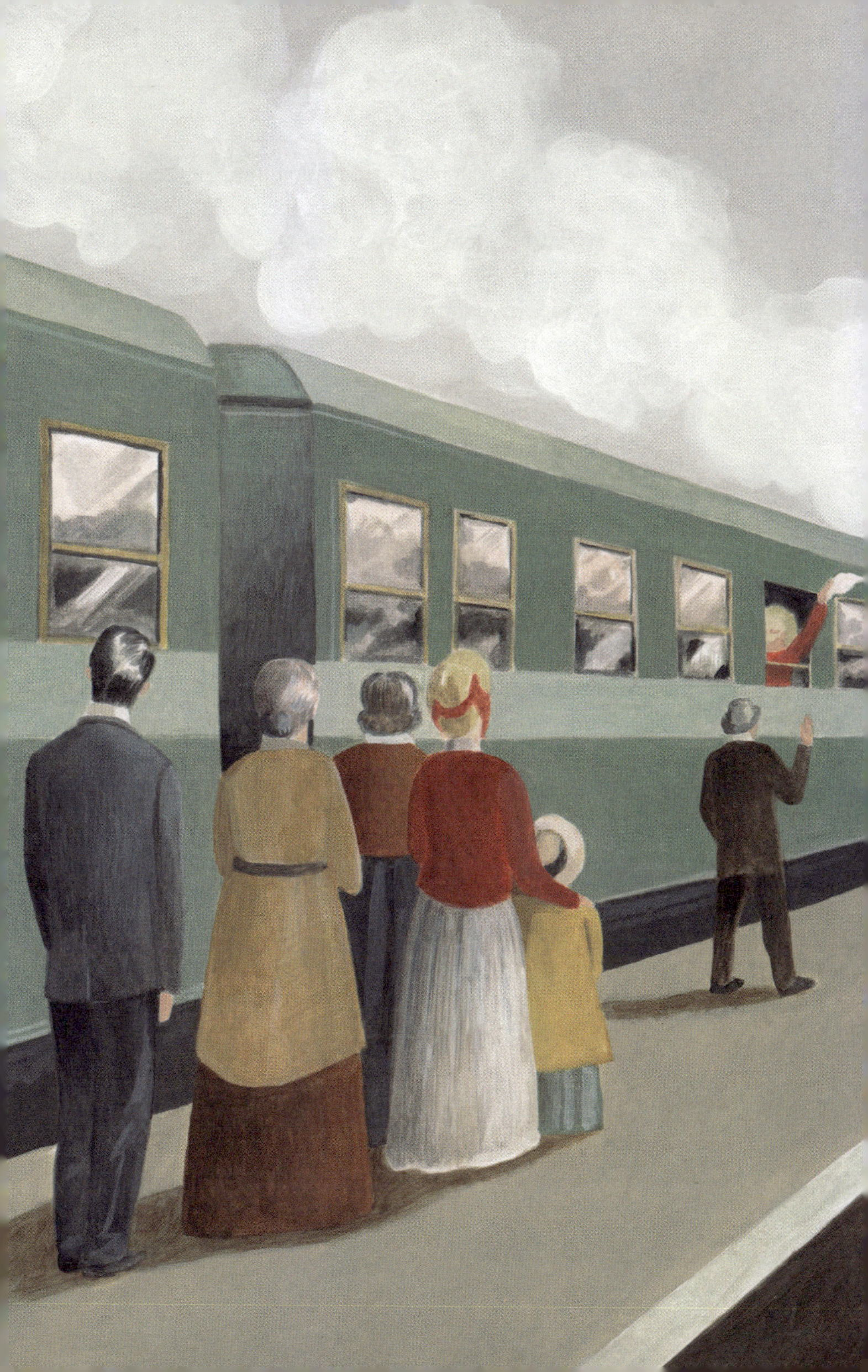

Quando Ada è tornata, era appena nato il mio ultimo figlio, il piccolo Alfio. In stazione Guido è stato bravo, l'ha abbracciata e baciata. Era proprio un bravo attore. Non si è nemmeno accorto che Ada aveva il viso sempre più gonfio* e rosso.

Fare il bilancio* della casa commerciale è stato molto faticoso, lavoravo anche dieci ore al giorno. Solo allora ho scoperto quanto grande era la perdita di denaro. Ho raccontato tutto ad Augusta, che mi ha consigliato di andare da un avvocato*. Non voleva vedere che anche io perdevo del denaro. Secondo lei dovevo lasciare tutto e tornare alla mia azienda di famiglia. Il 15 gennaio abbiamo chiuso il bilancio: un vero disastro! Metà del denaro era perso. Ho chiesto a Olivi di controllare i nostri conti ma non c'erano errori. Olivi ci ha consigliato di chiudere la casa commerciale, secondo la legge. Guido prima ha riso, poi si è arrabbiato.

– Conosco bene la legge. Sono io il solo responsabile. Tutto ha il mio nome.

– Vuoi che prepari una lettera con il bilancio per tuo padre?

– Ti dirò io quando e in che modo.

– Guido, io sono il contabile*! La legge dà la colpa anche al contabile per un disastro simile!

– Hai ragione, ma io sono il capo e preparo il bilancio che voglio. Scriverò io a mio padre.

– Come vuoi.

– Andiamo fuori, ho caldo e ho bisogno d'aria.

Siamo usciti a passeggiare. Era una serata fresca. Lui si lamentava dei suoi problemi, del suo matrimonio simile a un disastro, della gelosia della moglie. Poi gli è venuta un'idea: poteva chiedere ad Ada di aiutarlo con la metà del denaro. L'anno dopo le poteva ridare tutto. L'ho salutato davanti al cancello di casa.

---

gonfio che sembra pieno di aria, largo
bilancio documento che unisce i conti di un anno intero di un'azienda

avvocato persona che conosce bene le leggi e difende i suoi clienti
contabile persona che tiene i conti

In quei giorni Guido stava poco in ufficio. Era indignato dal mio progetto di far diventare Olivi direttore e anche dal no di Ada alla richiesta di denaro. Diceva che Ada lo faceva soffrire con la sua gelosia. La verità è che parlavano sempre di denaro e lui non riusciva ad avere quello che voleva. Per questo era disperato! Una mattina non è venuto in ufficio: la sera prima aveva tentato il suicidio*. Era fuori pericolo. Augusta era spaventata, io solo arrabbiato. Guido era così stupido da tentare di morire per farsi dare il denaro dalla moglie? Aveva solo finto di suicidarsi con la morfina*. Che attore! Che azione indegna!

Ada ha provato pena e gli ha dato il denaro che gli serviva. Guido dalla gioia ha persino detto che se lei voleva poteva mandare via Carmen dall'ufficio. Ada gli ha creduto. Anche se non mi fidavo più di lui sono andato a trovarlo. Mi aspettava a letto, fingendo di essere mezzo morto. Un bravo attore fino alla fine! Quando stavo per andare via, è arrivata Ada di corsa.

– Ti prego, Zeno! Vieni qui, devo parlarti.

Per un attimo ho pensato che Ada voleva dirmi il suo amore. Ma certo: dovevo prenderla tra le braccia e capire. Baciare quel viso malato e gonfio e capire dalla sua voce agitata che finalmente si era innamorata di me.

– Io amo Guido. Augusta mi ha detto che tu vuoi lasciare la casa commerciale ma io ti prego di restare con lui. Guido non è capace di fare tutto da solo.

– Se me lo chiedi continuerò ad aiutare Guido. Farò il mio meglio.

– Io devo tornare a Bologna in casa di salute e voglio partire tranquilla.

– Resterò con lui, è una promessa!

– Grazie, Zeno, – mi ha detto prendendomi la mano. Cosa voleva dire questo gesto?

– Alla fine hai sposato un uomo ancora più strano di me, Ada!

---

suicidio gesto di togliersi la vita, uccidersi da soli   **morfina** medicina molto potente che toglie il dolore

Non so perché ho detto questa frase ma ancora oggi me la ricordo benissimo.

– È vero. Ma sono felice per Augusta: tu sei migliore di quello che pensavo. Sei il migliore uomo della nostra famiglia, sei la nostra speranza.

Io le ho stretto la mano in silenzio. Lei ha subito tolto la sua mano dalla mia.

– Mi dispiace di averti fatto soffrire. Sei stato davvero così male per me?

– Sì. Sì, Ada. Molto, molto!

– Mi dispiace, mi dispiace tanto, davvero! Ma tu adesso ami Augusta, – e piangeva disperata. – Ora tra noi due c'è un affetto da fratelli. Vuoi aiutarmi a proteggere il nostro Guido? Io ho bisogno di te.

– Ma certo, lo farò.

Sono uscito di casa felice. Ada mi ha accompagnato al pianerottolo, come faceva Carla. Tutto era chiaro: io l'avevo amata e ora amavo Augusta. Il mio vecchio amore ora era diventato dolce. Avrei fatto tutto per lei. Mi sentivo bene, pieno di salute, con il cuore buono e forte. Ero davvero l'uomo migliore della famiglia Malfenti.

Il giorno dopo Guido si trovava in ufficio. Ci siamo messi a fare conti per eliminare la perdita di denaro. Non potevamo usare il denaro di Ada per cancellare la perdita. Guido cercava di evitare problemi con la legge, e ogni giorno si inventava un nuovo progetto disperato. Per esempio distruggere tutti i vecchi libri dei conti. Intanto non mandava via Carmen, come aveva promesso alla moglie. Ada, dopo la casa di salute, è andata a riposare sul Lago Maggiore. Io le scrivevo che Guido era più presente in ufficio e che ogni tanto guadagnava qualcosa.

Un giorno però ho scoperto che Guido giocava in Borsa. Si era messo in affari con Nilini, un mediatore* commerciale che non mi

---

mediatore commerciale persona che dà consigli in affari e sta tra chi vende e chi compra

piaceva per nulla. Era un uomo brutto e dal viso giallo, ma molto astuto. Parlava sempre tanto, soprattutto di affari. Guido mi ha spiegato che facevano ottimi affari e che non dovevo arrabbiarmi: se perdeva smetteva di giocare, se vinceva ridava i soldi alla moglie. La famiglia Malfenti non era preoccupata perché anche Giovanni era stato un giocatore di Borsa e aveva guadagnato molto.

Quando Ada è tornata era molto brutta e gonfia. Era felice delle vincite del marito in Borsa ma era ancora gelosa di Carmen, che non era andata via dall'ufficio. Io le ripetevo che doveva aver paura della Borsa e non di Carmen.

Una sera Guido mi ha chiesto di andare di nuovo a pesca di notte con lui.

– Tu che sei chimico mi dici se è più efficace il Veronal* puro o il Veronal al sodio?

– Il sodio viene assorbito molto facilmente.

– Quindi se voglio morire devo prendere il Veronal al sodio?

– Sì. E chi non vuole morire deve prendere il Veronal puro.

Una mattina Nilini è entrato in ufficio urlando. Era arrabbiato perché Guido aveva fatto affari con un altro mediatore commerciale. Guido aveva perso moltissimo denaro e piangeva. Si lamentava disperato. Perché lamentarsi? Era andato incontro al suo disastro da solo!

– Chi non ha giocato in Borsa, Zeno? Anche nostro suocero giocava! Anche tu hai giocato!

Mi faceva pena.

– Parlerò io con nostra suocera. Tu parlerai con Ada. Troveremo una soluzione.

– Non posso parlare con Ada! Non ce la faccio. Sai come sono fatte le donne.

Veronal medicina un tempo usata come anti-depressivo

– E allora?

– Parlerò con mia suocera e lei dirà tutto a mia moglie. Intanto stasera parto per la caccia.

– Per la caccia? Sei pazzo?

– Voglio un ultimo divertimento prima del disastro. Vieni anche tu!

– Nemmeno per sogno!

– Ho bisogno di riposo dopo un disastro simile. Poi riprenderò tutto in mano. Sei un vero amico. Faremo una nuova casa commerciale e tu avrai uno stipendio.

– Non ha più importanza. Non pensare alla perdita di denaro. Ora parla con tua suocera, solo questo è importante adesso.

Ero deciso a trovare il denaro che gli serviva. Non so se lo facevo per lui o per Ada, o forse solo perché avevo lavorato con lui. Dovevo prendere una parte del denaro della mia azienda. Augusta si è indignata a questa idea. La sua gelosia per la sorella era fortissima.

– Come hai potuto non dirmi nulla? Come puoi dare il tuo denaro a Guido?

– Perché dici così, Augusta?

– Credo che Ada sia innamorata di te.

– Ma cosa dici?

– Io so che tu ami anche me.

– Ma Ada è davvero innamorata di me?

La notte del suicidio pioveva fortissimo. Alle undici di sera Guido aveva detto alla moglie che aveva preso il Veronal. L'ha baciata e le ha chiesto perdono per averla fatta soffrire. Lei non gli credeva. Ha chiamato un dottore che è arrivato senza nulla contro il Veronal, così hanno chiamato il dottor Paoli. È arrivato all'alba, quando Guido era davvero morto. Che sfortuna! Sono arrivato a casa loro e di colpo ho provato molta pena per Guido. I morti sono sempre buoni e puri.

Avevo un progetto per salvare la casa commerciale: avrei messo io tutto il denaro necessario. Impegnato a fare questi conti mi sono dimenticato del funerale di Guido. E quando mi sono reso conto che avevo dimenticato il funerale sono partito di corsa insieme a Nilini ma siamo andati al funerale sbagliato. Mia moglie mi ha rimproverato ma le ho spiegato che stavo lavorando per la casa commerciale: ero o non ero l'uomo migliore della famiglia?

Ada mi aspettava per le scuse. Era magra e più bella.

– Io ti scuso. So che tu non lo amavi, povero Zeno. Zeno, fratello mio!

– Ma come puoi dire così? Io gli volevo bene!

– Nemmeno io sapevo amarlo. Odiavo il suo violino. Ero gelosa di te ed Augusta, della vostra felicità. Tu gli stavi vicino anche odiandolo, gli volevi bene per il mio amore. Doveva finire così!

– Cosa potevo fare di più per lui?

– Salvarlo. Io, tu, noi dovevamo salvarlo.

E di colpo Ada è caduta a terra. Aveva perso i sensi.

Io non ho odiato Guido. L'ho protetto come potevo. Il rimprovero di Ada era ingiusto.

Il giorno della sua partenza per Buenos Aires insieme ai bambini Ada mi ha detto:

– Addio, Zeno, fratello mio. Ricorderò sempre che non ho saputo amarlo. Lascio questo Paese perché voglio abbandonare i rimorsi.

– Non dire così, Ada. Non darti colpe che non hai. Sei stata una buona moglie.

Lei piangeva. La giornata era nebbiosa. Ada salutava dalla nave. Era elegante e bellissima. Io piangevo e pensavo che non avrei mai potuto dirle che ero innocente.

ATTIVITÀ

Comprensione

1 Abbina le frasi nel modo giusto per completarle.

1. ☐ La nascita dei gemelli...
2. ☐ Il dottor Paoli consiglia di mandare Ada...
3. ☐ Il bilancio della casa commerciale dice che...
4. ☐ Guido apre una casa commerciale...
5. ☐ Guido prova a suicidarsi la prima volta...
6. ☐ Ada dice a Zeno che per lei è...
7. ☐ Nilini è un...
8. ☐ Anche Giovanni Malfenti un tempo...
9. ☐ Guido muore perché...
10. ☐ Alla fine Ada parte per Buenos Aires...

a. hanno perso metà del denaro.
b. giocava in Borsa.
c. di aiutarlo con un prestito di denaro.
d. il medico arriva molto in ritardo.
e. mediatore commerciale.
f. porta un po' di dolcezza a casa di Ada.
g. con la morfina.
h. come un fratello.
i. in nave dal porto.
l. in una casa di salute.

2 Leggi le frasi e sottolinea l'opzione corretta.

1. La voce di Ada con la malattia diventa *insicura/molto forte*.
2. Le donne di casa Malfenti *amano/odiano* Zeno Cosini.
3. Guido è *indignato/onorato* dall'idea di avere Olivi come direttore commerciale.
4. Guido *vuole/non vuole* che Ada torni a casa da Bologna.
5. Ada è *veramente/per nulla* innamorata di Zeno.
6. Giocare in Borsa per *i Malfenti/Zeno* è una pessima idea.
7. Augusta *pensa/non pensa* che il marito è innamorato di Ada.
8. Ada parte per *avere/abbandonare* i rimorsi.
9. Quando parte Ada è *bellissima/disperata*.

Grammatica

3 Completa il brano con le preposizioni giuste.

> di (x2) • in (x2) • a • con (x2) • per (x2) • della • dal

Il dottor Paoli ha consigliato **(1)** _____ mandare Ada **(2)** _____ una casa **(3)** _____ salute **(4)** _____ Bologna **(5)** _____ guarire. La malattia era grave. Tutti hanno accompagnato la malata **(6)** _____ stazione. Ada, **(7)** _____ gli occhi enormi **(8)** _____ colpa **(9)** _____ malattia, ha salutato la sua famiglia **(10)** _____ il fazzoletto **(11)** _____ treno.

ATTIVITÀ DI PRE-LETTURA

4 Il prossimo capitolo si intitola *Psicanalisi*. Risolvi lo schema e troverai nelle caselle evidenziate il nome del padre di questa disciplina.

1. Medicina molto potente con cui ha provato il suicidio Guido la prima volta.
2. Che sembra pieno di aria, come il viso di Ada malata.
3. Il dottore che scopre la morte di Guido.
4. Il nome della moglie di Zeno.
5. Documento che unisce i conti di un anno intero di un'azienda.
6. Dispiacere e preoccupazione per qualcuno.
7. Gesto di togliersi la vita, uccidersi da soli.
8. Sinonimo di morbo.
9. Persona che conosce bene le leggi e difende i suoi clienti.

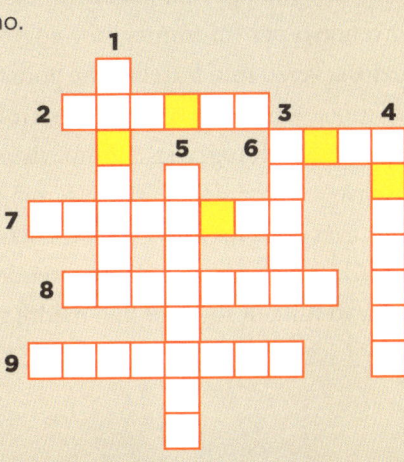

Capitolo 9

Psicanalisi

▶ 14   3 maggio 1915

Ho finalmente finito la mia cura con la psicanalisi. Sono passati sei mesi e mi sento peggio di prima. Devo ancora dire addio al mio dottore. A Trieste, dopo lo scoppio della guerra, mi annoio e allora scrivo. Penso che scrivere mi servirà a guarire, questa volta. È tutta colpa del dottore… E pensare che io che mi fidavo di lui!

Le cure del dottor S. servono solo a ingannare donne stupide. Sono tutte illusioni! Sapete qual era, secondo lui, la mia malattia? Quella di cui parlava Sofocle, la malattia di Edipo: io amavo mia madre e volevo uccidere mio padre. Che bugia, che falsità! I miei ricordi e le mie emozioni per lui erano un segno della mia guarigione. Io invece inventavo per lui immagini e sogni da raccontare. Raccontavo della gelosia verso mio fratello, che poteva giocare a casa invece che andare a scuola. Raccontavo i pensieri su mia madre, che nei sogni era sempre uguale alla fotografia che ho vicino al letto. Secondo il dottore io amavo sempre donne simili a mia madre. E si chiedeva perché ora, che avevo capito tutto, non mi sentivo guarito. Non volevo proprio capirlo, diceva lui! Così, per prenderlo in giro, inventavo altri sogni. Facevo finta di sognare mia madre e raccontavo bugie. Mi divertivo.

Secondo lui avevo sempre bisogno di odiare qualcuno. Prima mio padre, che forse sul letto di morte mi aveva dato veramente uno schiaffo. Poi Malfenti, mio suocero, poi mia moglie, che avevo tradito. E poi avevo odiato anche Guido, secondo il caro dottore. Insomma, il rapporto con il mio dottore era una lotta continua. E lo pagavo anche!

Un giorno ho incontrato per strada il dottor S. Mi ha chiesto se avevo deciso di lasciare la cura. È stato gentile, perché voleva che tornassi da lui. Gli ho detto che avevo affari importanti e problemi di famiglia e che sarei tornato presto.

– Studi il suo animo, signor Cosini. Vedrà che è cambiato. La aspetto.

In verità con il suo aiuto, studiando il mio animo, ho solo guadagnato nuove malattie! Ora devo guarire dalla sua cura. Non penso ai sogni e non penso ai ricordi. Per colpa di sogni e ricordi la mia mente è diventata inquieta. Non voglio diventare pazzo, quindi basta con queste stupide cure.

15 maggio 2015

Abbiamo passato due giorni di festa a Lucinico nella nostra casa per le vacanze. Mio figlio Alfio doveva prendere aria buona. Sono stato un intero pomeriggio da solo a guardare il fiume Isonzo sulla riva. Le nuvole si muovevano veloci al vento ma il sole era caldo. Mi sentivo bene e riflettevo. Per un attimo non mi sentivo debole né incapace. Sorridevo alla vita e alla mia malattia. Nella mia vita le donne avevano una parte molto importante. Sono vecchio e le donne non mi guardano più. Ma io le guardo, eccome se le guardo!

Teresina, la figlia del contadino, abitava vicino alla nostra casa per le vacanze. Il padre aveva perso la moglie da due anni e Teresina, la più grande dei figli, era diventata come una mamma. Era grossa e lavorava molto. Guidava l'asino e trasportava l'erba. L'anno prima era ancora una bambina, ma quest'anno era cresciuta. La faccia rotonda, la pelle scura, i piedi nudi... era il simbolo della salute! Le guardavo le gambe scure e giovani.

– Non hai ancora uno sposo? Devi averne uno!
– Se ne prendo uno sarà più giovane di lei!
– E quando penserai ai vecchi, Teresina?
– Quando sarò vecchia anch'io!
– Ma allora i vecchi non ti vorranno! Ascoltami, io li conosco.

Ma lei era già andata via, lontana, con l'asino, illuminata dal sole. Io ero in ombra, come tutti i vecchi.

26 giugno 1915

La guerra è arrivata proprio qui! Finora ascoltavo le storie di guerra come fossero racconti di storia. Non ero preoccupato, fino a quel momento. La guerra è arrivata e la mia vita è diventata un disastro. Di colpo mi ha portato via tutta la famiglia e anche gli Olivi. Da un giorno all'altro grandi novità. Da ieri sono più tranquillo perché dopo un mese ho avuto notizie sulla mia famiglia. Sono sani e salvi a Torino. Non speravo più di rivederli. Passo tutta la giornata in ufficio. Non ho niente da fare ma gli Olivi, padre e figlio, sono partiti, perché cittadini italiani. E i miei lavoratori sono andati in guerra a combattere. In questo stato mi sento lontano dalla malattia e dalla salute. Cammino

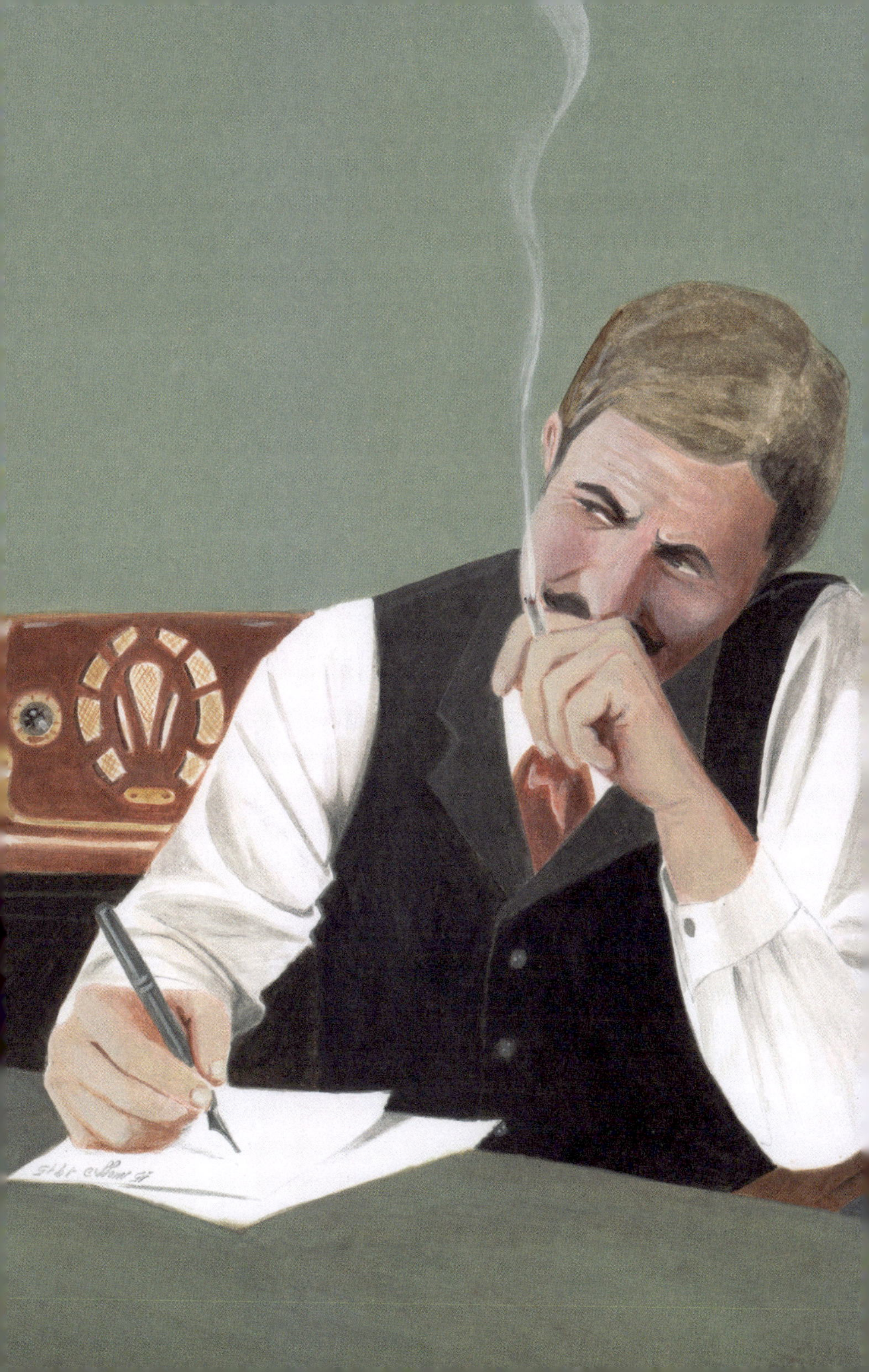

per le strade tristi della mia città. Sono fortunato perché non vado in guerra e perché ogni giorno posso mangiare. Rispetto a tutti gli altri mi sento felice.

La guerra e io ci siamo incontrati in modo violento. Eravamo tutti a Lucinico. Appena svegli, Augusta mi ha detto che mia figlia, sempre più bella e simile ad Ada, voleva delle rose. Sono uscito senza giacca né cappello, per andare a piedi in campagna. Respiravo aria buona. Arrivato al campo di patate dove Teresina, i fratelli e suo padre lavoravano, ho chiesto al padre se potevo tagliare qualche rosa dal suo giardino.

– Ma lei non ha sentito niente?

– Cosa?

– Dicono che è scoppiata la guerra!

– Lo sappiamo tutti! Da un anno circa, – ho risposto.

– Non parlo di quella guerra. Parlo di quella con il confine italiano. Non sa nulla?

– Ma no, cosa dice? Se io non so nulla vuol dire che non è vero! Vengo da Trieste e lì si dice che la guerra non arriverà da noi. Lo dicono anche a Roma.

– Bene, allora. Sono più tranquillo. Potremo mangiare queste belle patate. Bene, bene. Ci sono tanti bugiardi al mondo!

– Se anche arriva la guerra di certo non sarà combattuta qui!

Se la notizia era vera, Lucinico si trovava troppo vicina al confine*. Forse era meglio tornare a Trieste. Dovevo parlarne con Augusta.

Tornando indietro ho incontrato un plotone* di soldati che marciava verso Lucinico. Ho camminato un po' dietro di loro. Ero molto inquieto e volevo essere a casa e bere il mio caffè. Ho girato

---

confine linea che divide un territorio da un altro

plotone insieme di soldati in squadra

per una strada e di colpo un soldato, con il fucile* puntato, mi ha fermato.

– *Zurück!* Indietro!

Ho cambiato strada. Volevo tornare a casa e bere il mio caffè! Arrivato sopra alla collina c'era il plotone di soldati di prima. Alcuni riposavano sotto gli alberi, altri facevano la guardia, altri ancora leggevano una mappa* con un ufficiale. Non avevo nemmeno il cappello per salutarli. Così ho fatto un bel sorriso e sono andato vicino all'ufficiale, che si è messo a urlare.

– *Was will der dumme Kerl hier?* Cosa vuole quello stupido?

Ho cambiato ancora strada ma l'ufficiale mi ha fermato con il fucile puntato. Che maleducato! Per farlo ridere gli ho detto che mi aspettava il mio caffè, a casa. Lui non rideva. Gli ho detto anche che c'era anche mia moglie, che mi aspettava.

– *Auch Ihre Frau wird von anderen gegessen werden.* Anche vostra moglie sarà mangiata da altri.

Mi ha ordinato di andarmene per sempre da Lucinico.

– *Haben Sie verstanden?* Avete capito?

– Devo prendere la mia giacca e il cappello a casa. Dove devo passare?

L'ufficiale ha urlato: se gli chiedevo ancora qualcosa mi sparava.

– *Wo der Teufel Sie tragen will!* Vada dove il diavolo la porterà!

Ha ordinato a un soldato di portarmi giù dalla collina. Dovevo sparire per sempre e andare verso Gorizia.

– *Marsch!* Avanti, in marcia!

Il soldato era più gentile e voleva da me notizie sulla guerra. Nemmeno i soldati avevano capito bene cosa stava succedendo. Mi ha consigliato di non tornare più a Lucinico e di andare invece

---

fucile arma da fuoco molto lunga   **mappa** carta geografica

a Trieste. Qui potevo chiedere un permesso speciale per la mia famiglia.

– A Trieste? Senza giacca senza cappello e... senza caffè?

– Subito. La strada più veloce va per Trieste.

Così sono partito verso Gorizia, per prendere il treno di mezzogiorno per Trieste. Non mangiavo e non fumavo da ore. Mi sentivo leggero. Camminando, stanco, sono arrivato a Gorizia. Ho provato a telefonare ad Augusta ma nessuno mi rispondeva. Mi hanno spiegato che Lucinico non rispondeva a nessuna telefonata dalla mattina. Lucinico era sulla linea* del fuoco, era chiaro! Dovevo correre in stazione e andare dai miei.

Durante il viaggio è scoppiata la guerra. Il treno viaggiava bene, senza problemi. Mi dispiaceva di aver lasciato i miei in quel modo strano, senza spiegare nulla. Chissà cosa pensavano di me... Allora lì la guerra non era ancora arrivata, per fortuna. Sicuramente Augusta e i bimbi erano in viaggio. Mi sentivo tranquillo, così tranquillo che mi sono addormentato. Arrivato a Trieste era ormai notte. Mi sono svegliato per la fame. In altri momenti mi sarei arrabbiato molto di non poter mangiare qualcosa ma quel giorno sentivo tutto il peso di un fatto storico così importante.

Il treno era fermo a Sassonia di Trieste. Non vedevo il mare, era buio e c'era un po' di nebbia, ma sentivo che era molto vicino. Qua e là si vedevano molti incendi*. La gente correva per strada. A casa mi sono sdraiato sul letto, stanchissimo. Nella testa avevo speranze e dubbi che lottavano tra loro. Prima di cadere nel sonno e nel mondo dei sogni, ho pensato a cose positive.

Ora so che la mia famiglia è sana e salva e sono più tranquillo. Non ho molto da fare. L'attività commerciale è ferma, non si vende e non

---

linea del fuoco zona dove si combatte la guerra   **incendi** grandi fiamme che distruggono ogni cosa si compra. Il commercio tornerà con la pace. L'Olivi si è trasferito in Svizzera. Io sto fermo e non faccio nulla.

24 marzo 1916

Da maggio dell'anno scorso non ho più toccato questo diario. Dalla Svizzera il dottor S. mi scrive pregandomi di mandargli le cose nuove che ho scritto. Che cosa strana... Non mi fa problemi mandargli queste parole, così capirà cosa penso di lui e delle sue cure. Ho poco tempo, in questo periodo, la mia attività commerciale occupa quasi tutte le giornate ma al dottor S. voglio dire la verità, ho le idee chiare. Lui crede che gli spedirò i miei pensieri sulle malattie, i miei sogni, le mie paure. Invece leggerà la descrizione di una salute ottima, perfetta: io sono guarito! Non voglio fare psicanalisi e non ne ho bisogno. Sono fortunato rispetto a tutti gli altri, certo. Non sono sano al confronto con gli altri che stanno male: sono proprio io che sono sano, assolutamente sano e guarito da ogni male.

Non sono mai stato malato. Non ho mai avuto bisogno di cure. Dolore e amore: la vita, insomma. La vita non è una malattia solo perché fa male. Dico la verità: per capire la mia salute ho dovuto sopportare tanti cambiamenti. Ho dovuto lottare e vincere. Il mio commercio mi ha guarito e voglio che il dottor S. lo sappia. Prima, fino al mese di agosto dell'anno scorso, sono rimasto immobile e fermo a guardare il mondo che si disperava. Poi ho cominciato a comprare. A comprare qualsiasi cosa, perché in guerra tutto cambia. Comprare significava essere forti, vincere su tutto, anche sulla guerra: questa è stata la mia fortuna! Olivi, che non era a Trieste in quel periodo, non

non mi avrebbe permesso di fare così. Era troppo pericoloso. Invece ho avuto ragione. Facevo affari con l'oro, con l'incenso*, con tanto altro. Mentre compravo e avevo il denaro tra le mani mi sentivo invincibile*, forte, in piena salute. Il mio animo era pieno di speranza. Che vittoria!

Il dottore vede la mia vita come un segno della malattia. Invece è la vita stessa che è come la malattia. Ha dei giorni di crisi e dei giorni di salute, ha dei momenti migliori e dei momenti peggiori. Però è diversa dalle altre malattie perché la vita è sempre mortale: la vita non può avere una cura alla fine. Non possiamo volere così tanto. La vita è inquinata* fin dalle radici e non supporta le cure. L'uomo vuole sostituire alberi e animali, ha inquinato l'aria. Ogni piccolo spazio sarà occupato dall'uomo e noi non avremo più aria. Ogni tentativo di guarire e di cercare la salute piena è inutile. Tutti siamo malati.

L'animale può migliorare se stesso e il suo corpo. La rondine per esempio ha reso più forte il muscolo per volare, per poter emigrare. Il cavallo è diventato più grande per essere più forte e ha trasformato il suo piede per correre meglio. Tutti gli animali si sono trasformati e migliorati, senza perdere la loro salute. L'uomo no. L'uomo non si è migliorato nel corpo. L'uomo inventa ordigni* per fare del male agli altri uomini. Diventa sempre più furbo e sempre più debole. Chi ha inventato questi ordigni era sano e nobile, ma l'uomo che li usa non lo è quasi mai. Più è furbo e più diventa debole. Da qui nasce la malattia.

Questi ordigni creano nuovi malati. Non serve la psicanalisi per capire tutto questo! Forse, per tornare alla salute, è necessario un disastro. Un grandissimo disastro, prodotto dagli ordigni, che servirà per farci tornare alla salute. Un uomo un giorno, nella sua stanza segreta, inventerà un esplosivo senza paragoni per far scoppiare la

---

incenso materiale che quando viene bruciato profuma
invincibile che non si può vincere, molto forte

inquinata avvelenata, sporcata
ordigni oggetti con una funzione pericolosa, come le bombe

Terra. Gli altri esplosivi a confronto di questo saranno come dei giocattoli che non fanno male a nessuno. E allora ci sarà di sicuro un altro uomo, simile a tutti gli altri ma un po' più malato rispetto a loro, che prenderà questo esplosivo e andrà fino al centro della Terra. Lo metterà nel punto dove l'effetto dello scoppio sarà massimo. Ci sarà una grande esplosione. E la Terra tornerà a essere una nebulosa* che si muove nello spazio. Una nebulosa senza malattie.

nebulosa insieme di materia stellare

ATTIVITÀ

Comprensione

1 Indica se le affermazioni sono vere (V) o false (F) e correggi le frasi false.

		V	F
1	Zeno ha finito la psicanalisi e ha messo di scrivere.	☐	☐
2	Secondo il dottore Zeno doveva sempre odiare qualcuno.	☐	☐
3	A Lucinico Zeno ha la sua attività commerciale.	☐	☐
4	Teresina è la moglie del contadino di Lucinico.	☐	☐
5	Quando esce per prendere le rose Zeno è senza giacca e cappello.	☐	☐
6	Per tornare a Trieste Zeno cammina per giorni.	☐	☐
7	Con la guerra il dottor S. si è trasferito in Francia.	☐	☐
8	Per Zeno la vita stessa è malata e inquinata.	☐	☐

2 Rispondi alle domande.

1 Che cosa vorrebbe fare chi ha la malattia di Edipo?
_____
_____
_____

2 Perché quando la guerra arriva la vita di Zeno diventa un disastro?
_____
_____
_____

3 Cosa dice Zeno all'ufficiale per farlo ridere?
_____
_____
_____

Ambiente

3 Cosa fanno i soldati sulla collina di Lucinico, in attesa di combattere? Segna le azioni giuste, tra quelle proposte qui sotto.

1. ☐ Fanno la guardia
2. ☐ Si raccontano storie divertenti
3. ☐ Bevono e mangiano
4. ☐ Ascoltano l'ufficiale
5. ☐ Studiano la mappa con i luoghi
6. ☐ Dormono con i tappi nelle orecchie
7. ☐ Riposano all'ombra degli alberi
8. ☐ Giocano a carte

Scriviamo

4 Sei uno psicanalista. Scrivi quattro consigli per il tuo paziente, che è simile a Zeno Cosini. Usa il verbo all'imperativo o all'infinito presente.

Dormire molto durante la notte/Dormi molto durante la notte.

1. _____
2. _____
3. _____
4. _____

DOSSIER

Italo Svevo

Italo Svevo, il cui vero nome è Aron Hector Schmitz, nasce a Trieste nel 1861 in una famiglia borghese di religione ebraica, da padre commerciante tedesco e madre italiana. Insieme ai due fratelli studia in un collegio in Baviera dove impara il tedesco e altre materie commerciali. Una volta tornato a Trieste, viene assunto presso la filiale triestina della banca viennese Union. Qui, anche se non ama il suo lavoro in banca, resterà per quasi 20 anni. Nel frattempo collabora con il quotidiano locale di idee socialiste "L'indipendente" e frequenta la biblioteca, dove legge soprattutto i classici italiani e i naturalisti francesi, opere di filosofia e di scienza, in particolar modo gli scritti di Charles Darwin.

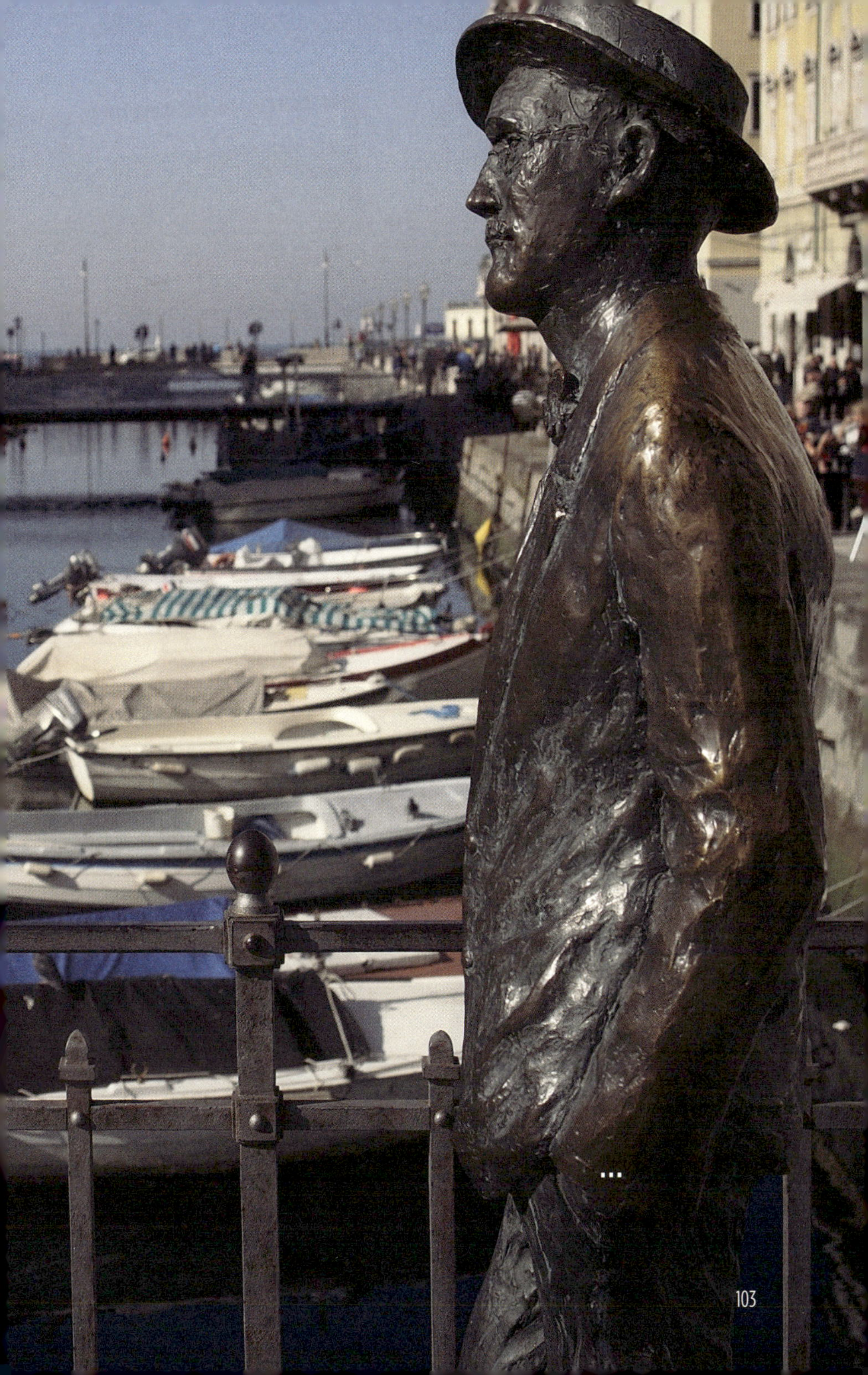

Le scelte e la vita privata

Nel 1890 riesce a far pubblicare alcuni suoi racconti, scritti in lingua italiana con lo pseudonimo di Ettore Samigli.
Scrive delle opere teatrali e inizia il suo primo romanzo, "Una vita" (1892), uscito con lo pseudonimo definitivo, Italo Svevo. Questo nome mescola la sua origine geografica originale (germanica) e la sua italianità.
Nello stesso anno muore suo padre e lui ha una relazione con una ragazza del popolo, Giuseppina, che ispirerà il personaggio di Angiolina in "Senilità", il suo secondo romanzo. Pochi anni dopo muore anche la madre e nel 1896 si fidanza con la ricca e giovane cugina Livia Veneziani, figlia di un commerciante di vernici. Con lei si sposerà nel 1897, convertendosi al cattolicesimo. "Senilità", pubblicato nel 1898, non ha alcun successo di pubblico, come "Una vita". Per questo Svevo decide di abbandonare la letteratura.

Italo Svevo con la moglie Livia Veneziani

Italo Svevo

James Joyce

L'amicizia con Joyce

Mettendo da parte l'attività di scrittura, abbandona nel 1899 il lavoro in banca ed entra nell'azienda di vernici del suocero. Costretto per lavoro a molti viaggi all'estero, gli torna il desiderio di scrivere. Frequenta un corso di inglese e conosce lo scrittore James Joyce, suo insegnante, che in quel periodo vive a Trieste insieme alla moglie. Tra i due nascerà una grande e lunga amicizia. Sarà proprio Joyce a spingere Svevo a scrivere un nuovo romanzo.

DOSSIER

Il contesto storico e culturale

Freud e la psicanalisi
A Vienna si avvicina alla psicanalisi e alle teorie di Sigmund Freud. Ne resta molto affascinato, tanto da prendere da costui molti spunti nei suoi romanzi successivi. I suoi personaggi infatti si auto-analizzano, analizzano il loro rapporto con il mondo e i propri problemi. Inoltre hanno tutti un'attenzione ossessiva per la salute e la malattia, per la medicina e il rapporto tra medico e paziente. Svevo ritiene valide le teorie interpretative di Freud ma ne rifiuta le possibilità terapeutiche.

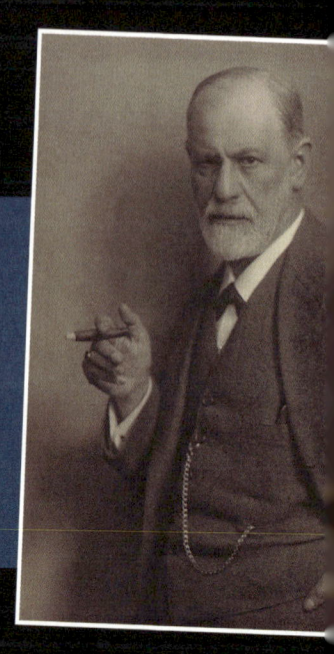

Lo scoppio della guerra
Con lo scoppio della prima guerra mondiale, nel 1914, la ditta del suocero viene chiusa dal governo austriaco e Svevo può tornare a dedicarsi ai suoi studi. Rimane a Trieste, con la sua cittadinanza austriaca, ma cercando di restare neutrale. Mantiene sempre un certo distacco dalla vita politica, diversamente da molti intellettuali di inizio '900 (come D'Annunzio), che si schierarono apertamente. L'amico Joyce intanto si allontana dall'Italia e si trasferisce a Parigi, dove Svevo andrà spesso a trovarlo. Vive l'occupazione italiana della sua città e, dopo la guerra, il passaggio di Trieste al Regno d'Italia. In quel tempo collabora con il famoso giornale triestino italiano, "La Nazione", e comincia a scrivere "La coscienza di Zeno", pubblicata nel 1923.

Il caso Svevo

Anche "La coscienza di Zeno" non ha successo, ma James Joyce lo propone ad alcuni critici francesi e a Eugenio Montale, che prima di tutti ne afferma la grandezza. Scoppia così il "caso Svevo", una vivace discussione attorno ai suoi scritti. Il 12 settembre 1928, tornando con la famiglia da un periodo di cure a Bormio, ha un incidente stradale a Motta di Livenza (Treviso) e resta lievemente ferito. Portato in ospedale per sicurezza, ha un attacco di cuore e nel giro di pochi giorni muore. Il suo quarto romanzo, una continuazione de "La coscienza di Zeno", resta incompiuto.

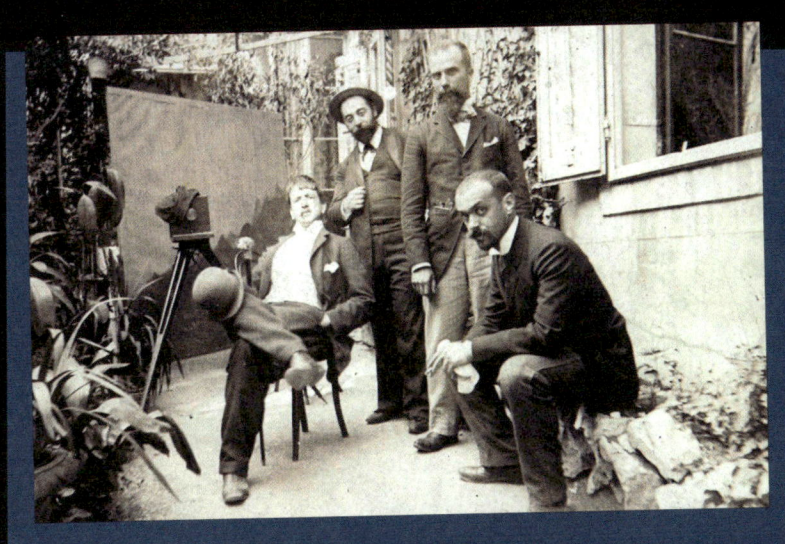

La cultura mitteleuropea

Svevo è un uomo diviso tra cultura europea e italiana, tra mondo intellettuale e borghese, tra l'essere scrittore e l'essere uomo d'affari. Trieste è abitata soprattutto da italiani, ma si trova sotto il dominio dell'Impero asburgico. La cultura mitteleuropea che si respira in città ha molta influenza su di lui. Qui infatti non esiste una tradizione culturale propria, ma si respira una cultura molto vivace grazie a un borghesia attivissima e a un intreccio di popoli, culture e lingue diverse. Svevo dalla sua Trieste, città cosmopolita e aperta, coglie i contrasti e le contraddizioni e li riporta dei suoi romanzi.

DOSSIER

I temi del romanzo

Scrittura, stile e letteratura

Svevo non nasce come scrittore, i suoi studi sono commerciali, nonostante il suo amore per letteratura e filosofia. Per lui la scrittura è uno strumento di conoscenza della realtà, infatti aderisce alla realtà esteriore del mondo e a quella interiore dell'uomo. Si sente lontano dall'estetismo letterario e dalla ricerca della perfezione linguistica. I suoi modelli letterari sono Balzac, Stendhal e Flaubert: da loro riprende la capacità di indagare i comportamenti umani, superando la superficie delle cose e scavando in profondità. Le vicende umane che racconta hanno come sfondo una realtà sociale concreta, che è proprio quella in cui lui vive.
Molti hanno criticato a Svevo una lingua tetra e aspra, grigia come le situazioni vissute. Svevo infatti usa molte strutture della lingua tedesca, assai usata a Trieste, ma poco "letteraria" nel senso tradizionale del bello scrivere.

L'inetto e altri temi

Il tema più caratteristico nei suoi romanzi è la figura dell'inetto. L'inetto è un anti-eroe moderno, che vive una vita grigia e banale e aspira sempre a qualcosa in più, che non riesce a raggiungere per colpa dei suoi limiti, delle sue paure e della sua incapacità a stare al mondo. Altro tema a lui caro è quello della vecchiaia contrapposta alla giovinezza: l'uomo moderno è in difficoltà nel gestire il rapporto tra ricordi e presente e nell'indagare su di sé. Grazie a queste tematiche innovative l'autore ha contribuito alla nascita del romanzo contemporaneo.

L'ironia

Nei romanzi di Svevo, accanto a una serietà di temi, c'è sempre un velo di ironia, che l'autore riversa prima di tutto su se stesso e sui suoi discorsi, ma anche sui personaggi delle storie. Fu sempre attento e propenso, infatti, alla letteratura umoristica tedesca e inglese. Anche i suoi drammi, tutti ambientati in ambiente borghese, rivelano i dissapori nascosti sotto le convenzioni che spesso sfociano in comicità. Memorabile la sua frase: "Ci sono tre cose che dimentico sempre: nomi, facce, la terza non ricordo".

Monumento a Italo Svevo

Personaggi molto moderni

"Una vita" (uscito prima come "Un inetto" nel 1892) parla del fallimento dell'intellettuale Alfonso Nitti: questi, dopo aver tentato di superare la sua condizione di campagnolo e di affermarsi nel mondo, decide di suicidarsi. Il confronto con il mondo borghese lo porta alla disperazione, non sa comunicare con il prossimo e reagisce a tutto con passività. "Senilità" esce a puntate su un giornale e poi un unico volume. Anche qui il protagonista è un inetto, che si sente vecchio prima del tempo. Emilio Brentani, intellettuale fallito a 35 anni, fa l'impiegato e ha una relazione con una popolana, Angiolina, che rappresenta la vitalità aperta e semplice, la salute e l'energia. Emilio non sa vivere il presente e ha sempre paura di sbagliare. "La coscienza di Zeno" è l'autobiografia di Zeno Cosini, ricco triestino nevrotico che inizia una cura psicanalitica per smettere di fumare e scrive la sua vita come cura imposta dal medico. Racconta quindi gli episodi della sua vita, dalla morte del padre al matrimonio agli affari.

TEST FINALE

Vero (V) o falso (F)?

		V	F
1	La morte del padre è l'evento più importante della vita di Zeno.	☐	☐
2	Zeno smette di fumare attorno ai trent'anni.	☐	☐
3	Giovanna è una sorvegliante della casa di salute di Trieste.	☐	☐
4	Il padre di Zeno lavorava in un caffè.	☐	☐
5	Il dottor Coprosich è un uomo assai simpatico e gentile.	☐	☐
6	Prima di morire il padre abbraccia Zeno.	☐	☐
7	Malfenti ha cinque figlie femmine.	☐	☐
8	Anna Malfenti è la più piccola di casa.	☐	☐
9	Zeno suona il violino.	☐	☐
10	Zeno chiede di sposarlo a tre figlie di Malfenti.	☐	☐
11	Guido Speier suona il pianoforte e canta molto bene.	☐	☐
12	Zeno spesso zoppica senza motivo.	☐	☐
13	Guido Speier è un esperto di sedute spiritiche.	☐	☐
14	Zeno alla fine si sposa con Ada.	☐	☐
15	L'amante di Zeno è una nobildonna di Trieste.	☐	☐
16	Carla Gerco vive insieme alla madre.	☐	☐
17	Il padre di Speier vive a Buenos Aires.	☐	☐
18	Il nuovo maestro di canto di Carla si chiama Vittorio.	☐	☐
19	Guido abbandona la famiglia e torna in Argentina.	☐	☐
20	Carmen è la segretaria e l'amante di Guido.	☐	☐
21	Guido prova a uccidersi più volte.	☐	☐
22	Augusta e Zeno avranno solo una figlia, di nome Elisa.	☐	☐
23	Ada si ammala e deve curarsi.	☐	☐
24	Guido odia giocare in Borsa.	☐	☐
25	Tutti a casa Malfenti amano Zeno perché è un uomo calmo.	☐	☐
26	Guido uccide la moglie Ada.	☐	☐
27	Zeno Cosini alla fine decide di ricominciare l'analisi.	☐	☐
28	Con la guerra Zeno parte per la Svizzera.	☐	☐
29	Zeno viene messo in prigione dai tedeschi.	☐	☐
30	Alla fine Zeno capisce che siamo tutti malati.	☐	☐

SILLABO DEI CONTENUTI MORFOSINTATTICI

Coniugazione attiva e riflessiva dei verbi regolari e dei più comuni verbi irregolari.
Indicativo presente; passato prossimo; infinito; imperativo; condizionale per i desideri.
Verbi ausiliari.
Verbi modali: potere, volere, dovere.
Pronomi personali (forme toniche e atone), riflessivi, relativi.
Aggettivi e pronomi possessivi, dimostrativi, interrogativi.
I più frequenti avverbi qualificativi, di tempo, di quantità, di luogo, di affermazione, di negazione.
Le frasi semplici: dichiarative, interrogative, esclamative, volitive con l'imperativo e il condizionale.
Le frasi complesse: coordinate copulative, avversative, dichiarative.
Subordinate esplicite: temporali, causali, dichiarative, relative.

Letture Graduate ELI Giovani

LIVELLO 1 Giovanni Boccaccio, *Decameron – Novelle scelte*

LIVELLO 2 Mary Flagan, *Il souvenir egizio*
Emilio Salgari, *Le Tigri di Mompracem*
Marta Natalini, *L'ombra di Dante*
Giorgio Massei, Antonio Gentilucci, *Evviva Roma!*
Marta Natalini, *I colori di Napoli*

LIVELLO 3 Maureen Simpson, *Destinazione Karminia*

LETTURE GRADUATE ELI GIOVANI ADULTI

LIVELLO 2 Carlo Collodi, *Le avventure di Pinocchio*
Luigi Pirandello, *Novelle per un anno – Una scelta*
I fioretti di San Francesco – Una scelta
Carlo Goldoni, *Il servitore di due padroni*
Niccolò Machiavelli, *Mandragola*

LIVELLO 3 Giovanni Verga, *I Malavoglia*
Alessandro Manzoni, *I promessi sposi*